실력도 **탑!** 재미도 **탑!**

사고력 수학의 으뜸

TOP 사고력 수학

A3

이 책의 목차

TOP 사고력 수학의 특징

TOP사고력 수학 A/B 시리즈는 수학 경시 대회와 영재교육원을 대비하여 꼭 알아야 할 교과서 밖 수학 개념과 실전 문제로 학생을 최상위권으로 이끌어줄 교재입니다.
보통의 상위권 실전 문제집들이 주제별로 적은 수의 문제를 나열하는 구성이라면 TOP사고력 수학은 풍부한 개념과 여러 가지 문제해결의 원리를 캐릭터들과 함께 재미있게 살펴본 후, 유형별로 충분히 연습할 수 있도록 하였습니다. 더불어 "사고력 쑥쑥" 이라는 이름의 별도 구성을 두어 주제별 학습 이후에 다양한 문제를 해결하면서 주제별 다지기 학습을 할 수 있도록 했습니다.

수학적 "깜냥" 키우기

깜냥의 뜻 - 스스로 일을 헤아릴 수 있는 능력
TOP사고력 수학의 학습 목표는 처음 보는 문제를 만나더라도 문제가 요구하는 바를 정확하게 파악하고 스스로 해결할 수 있는 능력, 즉 수학적 깜냥을 키우는 것입니다. 그런 의미에서 이 책의 주인공은 깜냥에서 따온 깜이와 냥이라는 두 아이와 수학 선생님입니다. 다양한 실전 문제를 해결하기에 앞서서 개념과 원리를 깜이, 냥이와 선생님이 이야기하듯이 재미있게 알려 줍니다.

깜이

냥이

선생님

스토리텔링 수학!

스토리텔링의 본질은 이야기를 전달하는 것이 아니라 말하는 사람과 듣는 사람 간의 상호 작용을 통해서 듣는 사람이 스스로 생각하면서 이해할 수 있도록 하는 것입니다. TOP사고력 수학은 만화나 이야기를 매개체로 하여 내용을 전달하는 형식적인 스토리텔링이 아니라 아이에게 상황을 그림으로 보여주고 질문을 하고, 활동 자료로 직접 해 볼 수 있도록 하고, 게임을 하면서 연습할 수 있도록 하는 가장 효과적인 스토리텔링 수학입니다.

체계적 구성과 충분한 연습으로 사고력 쑥쑥!!

각 단원의 시작은 "생각열기"로 학생들이 공부할 주제에 대해 먼저 생각해 보도록 질문을 던지고, 다음 쪽에서 선생님의 설명이 이어집니다. 작은 주제별로도 상황에 맞는 개념과 원리를 충분히 알아본 후, "탐구 유형"에서 유형별로 문제를 다루어 보도록 하였습니다. 단원의 마지막인 "TOP 사고력" 에서는 실전 사고력 문제로 단원을 마무리하게 됩니다.
책의 뒷부분에는 각 단원의 복습 및 다지기를 할 수 있는 "사고력 쑥쑥"을 두어 충분한 연습으로 공부한 내용을 자기 것으로 만들 수 있도록 하였습니다.

예비 활동 가이드

TOP사고력 수학 A/B 시리즈는 실전에 강한 수학 공부를 목표로 하기 때문에 교구의 도움 없이 문제 해결을 하도록 하였습니다. 그 대신 주제에 따라 스스로 원리를 이해하고 문제를 해결하는데 도움이 되도록 예비 활동 가이드를 두어 필요에 따라 문제를 해결해 보기 전에 해 볼 수 있는 활동을 제시하였습니다.

저자 동영상 강의

정답지에서 글로 전달하기 힘든 교육 방법, 활용의 예, 개념의 확장 등의 동영상을 제공합니다. 동영상은 PC에서 볼 수도 있고, QR코드를 이용하여 모바일로 이용할 수도 있습니다.

TOP 사고력 수학 시리즈

- **영역별 나선형식 반복 학습 구조**
- **나이, 학년 단계별 수학의 각 영역 비중 차등**
- **경시, 영재교육원 등의 최신 문제 경향 반영**

유아 단계와 초등 단계의 학습 목표

- **K/P시리즈** - 초등 입학 전 알아야 할 필수적인 수학 개념을 익히면서 수감각, 공간지각력, 논리력, 문제 이해력 등 수학적 직관력을 키우기
- **A/B시리즈** - 초등 저학년을 대상으로 수학 경시, 영재교육원의 대비와 최상위권으로 이끌기

시리즈별 학습 단계

- **K시리즈** - 수학의 시작 단계(6~7세)
- **P시리즈** - 초등 입학 준비 단계(7~8세)
- **A시리즈** - 초등 1학년 과정을 마친 학생을 대상으로 한 심화 사고력(초1~초2)
- **B시리즈** - 초등 2학년 과정을 마친 학생을 대상으로 한 심화 사고력(초2~초3)

TOP 사고력 수학의 구성

생각열기

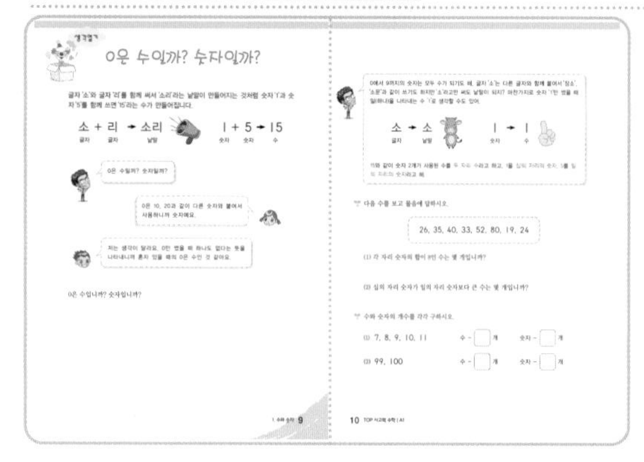

각 단원의 첫 페이지는 공부할 주제에 대한 발문의 역할을 하는 "생각열기"입니다.
재미있게 공부할 주제에 대한 호기심을 유발하고, 간단한 질문에 답하도록 합니다. 꼭 정답을 맞추기보다는 스스로 생각해 보는 것에 초점을 맞추도록 합니다.
스스로 먼저 생각하는데 방해가 되지 않도록 질문에 대한 설명은 종이를 1장 넘기면 다음 쪽에 있습니다.

원리 탐구

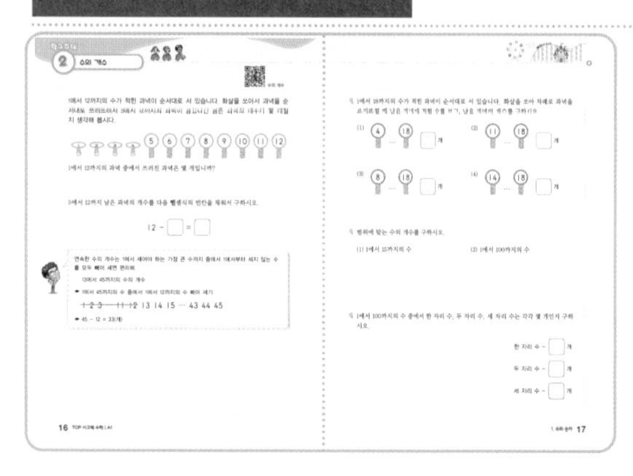

작은 주제별로 개념과 문제해결의 원리를 알아보고, 확인 문제를 해결해 봅니다.

탐구 유형

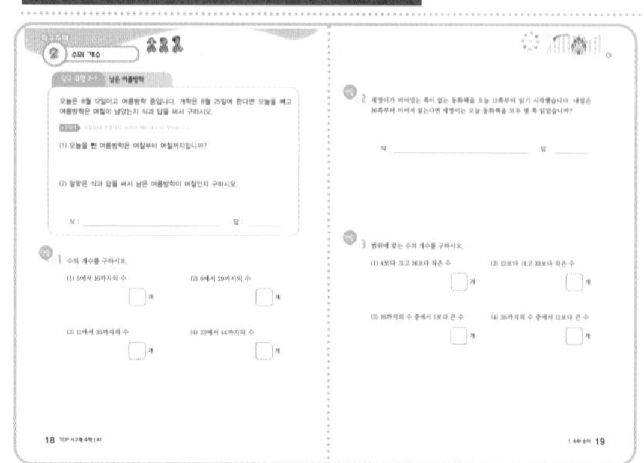

주제별로 여러 가지 유형별 문제를 공부합니다. 문제해결의 원리를 발견할 수 있도록 단계적으로 질문에 따라 문제를 해결해 보고, 연습 문제를 공부합니다.

TOP 사고력

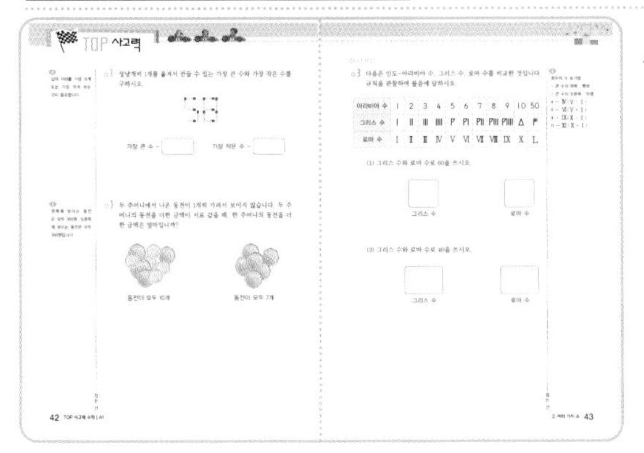

주제별 최고 난이도의 심화 문제를 공부합니다.

사고력 쑥쑥

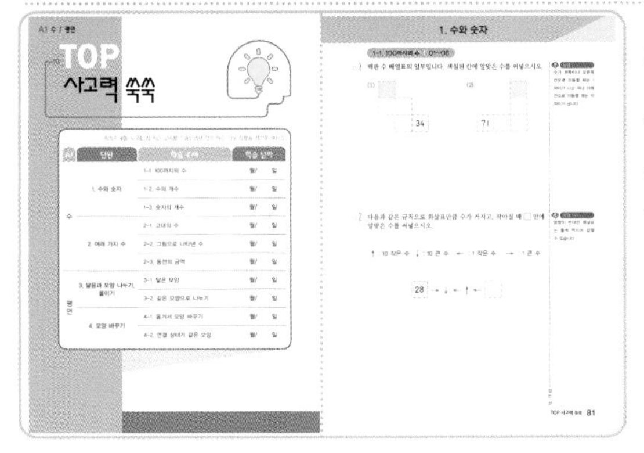

81쪽에서 112쪽까지 32쪽에 걸쳐서 앞에서 공부한 부분을 스스로 복습하고 다지기 하도록 합니다. 80쪽에는 작은 주제의 복습을 시작하는 날짜를 적어서 한 권을 마치는 동안 공부한 시간을 한 눈에 볼 수 있도록 했습니다.

예비 활동 가이드와 활동 자료

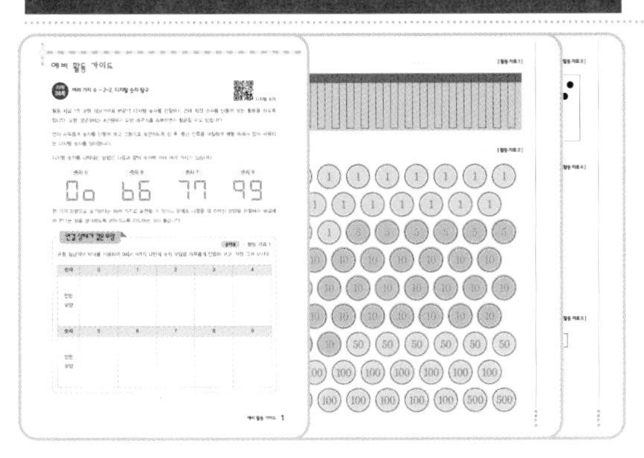

본문을 공부하기 전에 예비 활동을 소개하고 활동에 필요한 활동 자료가 들어 있습니다.

A 시리즈의 학습 내용

A1

수	1. 수와 숫자
	2. 여러 가지 수
평면	3. 닮음과 모양 나누기, 붙이기
	4. 모양 바꾸기

A2

측정	1. 비교하기
	2. 저울산과 넓이
연산	3. 연산 퍼즐
	4. 수와 식 만들기

A3

수	1. 수의 크기
	2. 조건에 맞는 수
평면	3. 모양 겹치기
	4. 모양의 개수

A4

연산	1. 지워진 연산 퍼즐
	2. 모양이 나타내는 수
입체	3. 쌓기나무의 관찰
	4. 입체모양과 주사위

A5

규칙	1. 여러 가지 규칙
	2. 약속과 규칙
논리	3. 논리적 추론
	4. 논리 판단 퍼즐

A6

확률과 통계	1. 기준과 분류
	2. 다양한 방법의 수
문제 해결	3. 조건에 맞게 직접 해 보기
	4. 문제를 해결하는 방법

동영상 강의를 활용해요.

단원의 목차에는 동영상 이라는 표시가, 각 페이지의 윗부분에는 QR 모양이 있으면 동영상 강의가 있다는 뜻입니다.
동영상 강의에서는 문제를 해결하는 원리를 좀 더 쉽게 설명해 줍니다. 어려운 부분은 동영상 강의를 이용할 수 있습니다.

예비 활동을 활용해요.

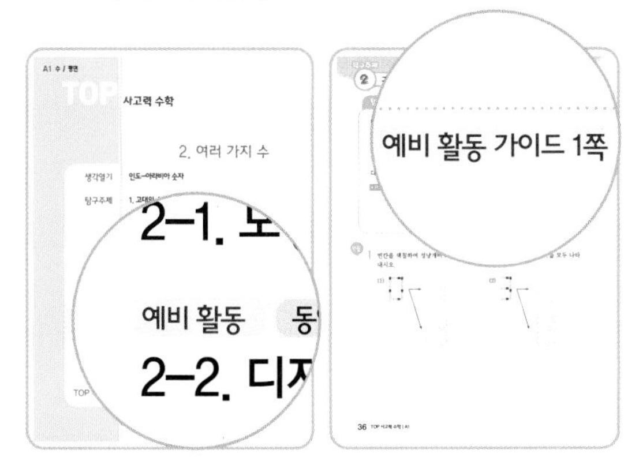

단원의 목차에는 예비활동 이라는 표시가, 각 페이지의 윗부분에는 예비활동가이드1쪽 표시가 있으면 문제를 풀기 전에 해 보면 좋은 활동이 있다는 뜻입니다.
예비 활동 가이드와 활동 자료를 이용하여 활동이나 게임을 먼저 해 보고 나서 책의 문제를 풀어보면 좀 더 재미있고, 쉽게 문제를 해결할 수 있습니다.

접는 선을 따라 종이를 접고 문제를 풀어요.

"TOP 사고력"과 "사고력 쑥쑥"에는 접는 선이 표시되어 있습니다. 접는 선 표시에 따라 종이를 접고 문제를 풀고, 어려운 경우 종이를 펼쳐서 도움글을 보고 해결해 봅니다.

TOP 사고력 수학

1. 수의 크기

생각열기

숫자 카드와 수의 크기

탐구주제

1. 숫자 카드로 수 만들기

1-1. 숫자 카드 수 / 가장 큰 수, 작은 수 만들기

동영상

1-2. 몇 번째로 큰 수 / 수의 크기 순서 찾기

1-3. 뒤집어진 숫자 카드 / 보이지 않는 숫자 카드의 수

2. 크기를 만족하는 수

2-1. 크기에 알맞은 숫자 / 부등호가 들어간 □ 구하기

2-2. 지워진 숫자 / 지워진 숫자 구하기

TOP 사고력

생각열기

숫자 카드와 수의 크기

숫자 카드 4장으로 만들 수 있는 두 자리 수를 모두 찾아보려고 합니다.

십의 자리 숫자를 하나 정하고 일의 자리에 들어갈 수 있는 나머지 숫자를 정하면 빠뜨리는 수 없이 모두 찾을 수 있습니다.

십의 자리 숫자를 2, 4, 5, 7로 정했을 때, 각각 일의 자리 숫자를 넣어 보시오.

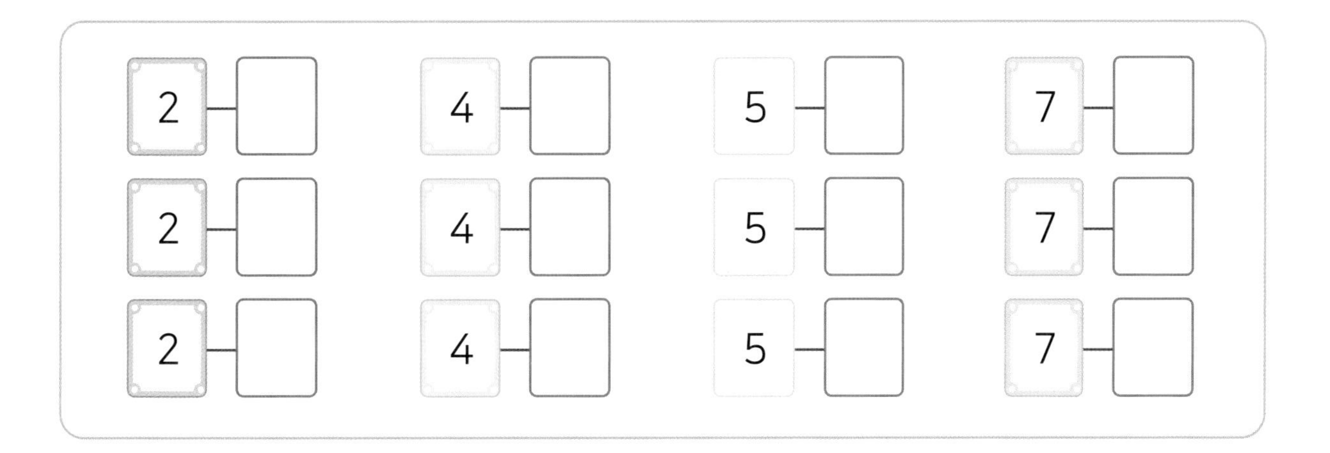

십의 자리 숫자를 먼저 정한 다음 일의 자리 숫자를 빠뜨리지 않고 모두 쓰는 것이 중요해!

아래의 숫자 카드로 만들 수 있는 두 자리 수를 모두 써보시오.

0　3　6　9

숫자 0이 십의 자리에 오게 되면 두 자리 수를 만들 수 없어. 숫자 카드에 0이 있을 때는 십의 자리에 0을 넣지 않도록 주의해야 해.

6 9

- 십의 자리 숫자가 3일 때 : 30, 36, 39
- 십의 자리 숫자가 6일 때 : 60, 63, 69
- 십의 자리 숫자가 9일 때 : 90, 93, 96

숫자 카드 1, 3, 7, 9가 한 장씩 있을 때, 35보다 크고 75보다 작은 두 자리 수를 모두 찾아보려고 합니다.

일단 35보다 큰 수가 되어야 하니까 십의 자리에 1은 쓸 수 없고 75보다 작은 수가 되어야 하니까 십의 자리에 9도 쓸 수 없어.

- 십의 자리 숫자가 3일 때 : ~~31~~, (37), (39)
- 십의 자리 숫자가 7일 때 : (71), (73), ~~79~~

35보다 크고 75보다 작은지 한 번 더 확인해야 해.

➔ 조건을 만족하는 수 : 37, 39, 71, 73

숫자 카드 0, 2, 6, 8이 한 장씩 있을 때, 65보다 작은 두 자리 수를 모두 쓰시오.

1 숫자 카드로 수 만들기

숫자 카드 4장으로 만들 수 있는 두 자리 수 중에서 가장 큰 수와 가장 작은 수를 구하려고 합니다.

1 3 6 9

두 자리 수를 모두 쓴 다음 가장 큰 수와 가장 작은 수를 찾으면 되겠네.

가장 작은 두 자리 수

13	31	61	91
16	36	63	93
19	39	69	96

가장 큰 두 자리 수

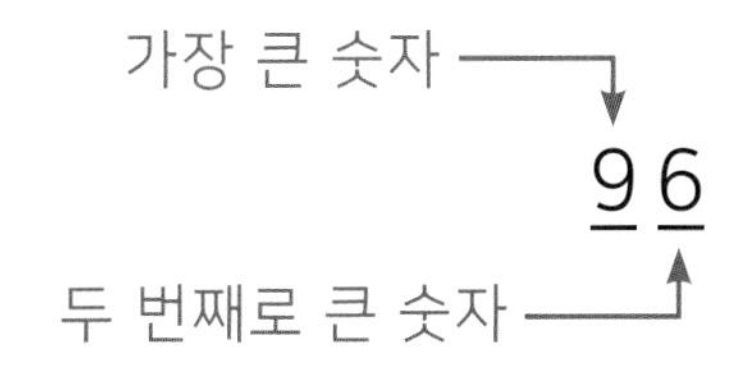

그럴 필요 없이 가장 큰 숫자부터 차례로 놓으면 가장 큰 두 자리 수가 되는데?

그럼 가장 작은 숫자부터 차례로 놓으면 가장 작은 두 자리 수가 되는 거네.

가장 작은 숫자

1 3

두 번째로 작은 숫자

□ 안에 숫자 카드 4장으로 만들 수 있는 가장 큰 두 자리 수와 가장 작은 두 자리 수를 쓰시오.

2 0 5 7

가장 큰 두 자리 수 : □

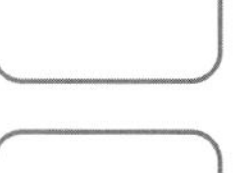

가장 작은 두 자리 수 : □

십의 자리에는 0이 올 수 없어!!

탐구주제 1 숫자 카드로 수 만들기

탐구 유형 1-1 숫자 카드 수

다음 숫자 카드로 만들 수 있는 조건을 만족하는 두 자리 수를 구하시오.

2 3 5 8

① 가장 큰 두 자리 수 □

② 가장 작은 두 자리 수 □

③ 가장 큰 두 자리 짝수 □

④ 가장 작은 두 자리 짝수 □

• Point 짝수가 되려면 일의 자리의 숫자가 짝수가 되어야 합니다.

(1) 숫자 카드로 만들 수 있는 가장 큰 두 자리 수와 가장 작은 두 자리 수를 구하시오.

(2) 짝수가 되려면 일의 자리에 쓸 수 있는 숫자 카드는 무엇입니까?

(3) 가장 큰 두 자리 짝수와 가장 작은 두 자리 짝수를 구하시오.

연습 01 다음 숫자 카드로 만들 수 있는 가장 작은 두 자리 홀수를 구하시오.

2 4 5 7

연습 02 다음 숫자 카드로 만들 수 있는 두 자리 짝수를 모두 쓰시오.

4	3	5

연습 03 다음 숫자 카드로 만들 수 있는 가장 작은 두 자리 짝수를 구하시오.

2	3	6	9

연습 04 다음 숫자 카드로 만들 수 있는 가장 큰 두 자리 홀수를 구하시오.

0	1	4	6	9

숫자 카드로 수 만들기

몇 번째로 큰 수

탐구 유형 1-2 몇 번째로 큰 수

다음 숫자 카드로 만들 수 있는 두 자리 수 중에서 네 번째로 큰 수와 네 번째로 작은 수를 구하시오.

2 3 4 5

• Point 큰 수와 작은 수를 순서대로 하나씩 구해 봅니다.

(1) 만들 수 있는 두 자리 수를 가장 큰 수부터 차례로 써넣으시오.

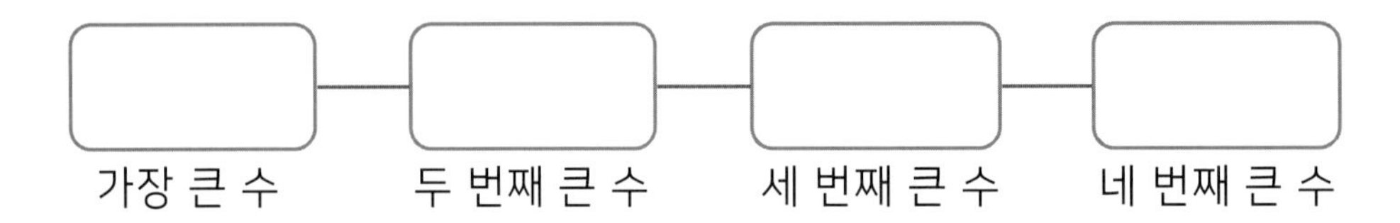

(2) 만들 수 있는 두 자리 수를 가장 작은 수부터 차례로 써넣으시오.

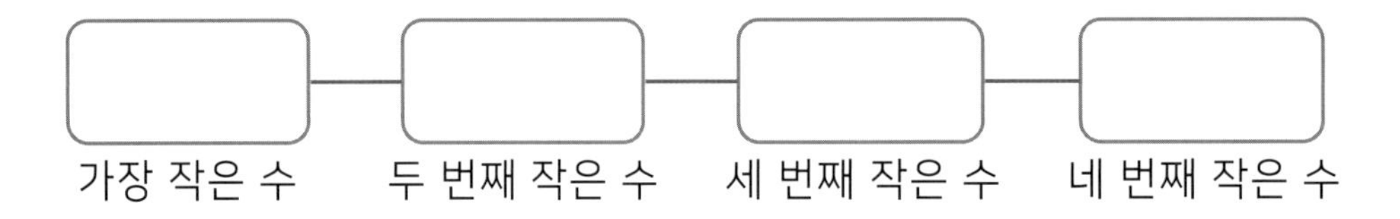

(3) 숫자 카드로 만들 수 있는 두 자리 수 중에서 네 번째로 큰 수와 네 번째로 작은 수는 무엇입니까?

연습

01 다음 숫자 카드로 만들 수 있는 두 자리 수를 순서대로 쓰고 다섯 번째로 큰 수를 구하시오.

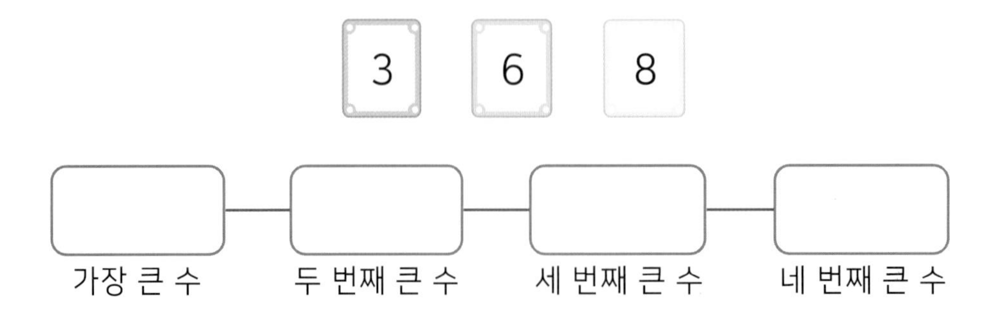

02 다음 숫자 카드로 만들 수 있는 두 자리 수를 순서대로 쓰고 네 번째로 큰 수와 네 번째로 작은 수를 구하시오.

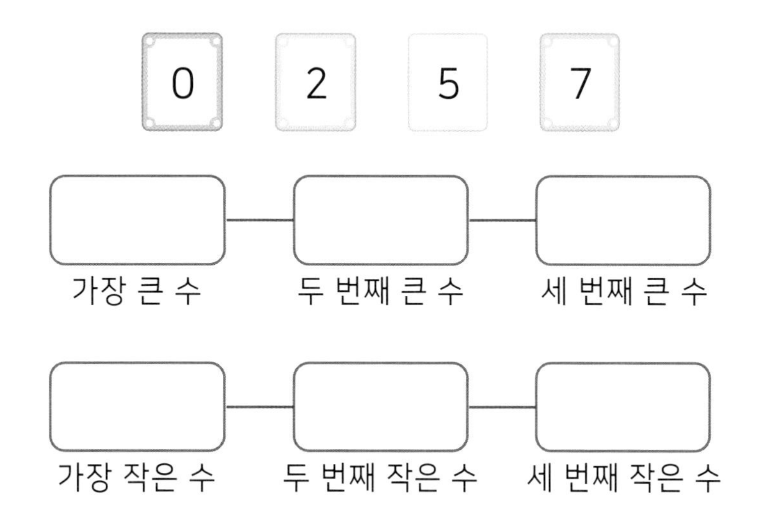

- 네 번째로 큰 수 : ☐
- 네 번째로 작은 수 : ☐

03 다음 숫자 카드로 만들 수 있는 두 자리 수 중에서 세 번째로 큰 홀수를 구하시오.

3 5 7 0

탐구주제

1 숫자 카드로 수 만들기

탐구 유형 1-3 뒤집어진 숫자 카드

서로 다른 숫자가 적힌 카드 중 2장을 골라 만들 수 있는 두 자리 수 중에서 두 번째로 큰 수를 보고 두 번째로 작은 수를 구하시오.

☐ ☐ 2 6

두 번째로 큰 수 : 86

두 번째로 작은 수 : ☐

• Point 주어진 조건으로 뒤집어진 카드의 숫자를 알아냅니다.

(1) 두 번째로 큰 수가 86이면 뒤집어진 카드 중 하나의 숫자는 무엇입니까?

(2) 가장 큰 수는 몇이 되어야 하는지 구하시오.

(3) □ 안에 두 번째로 작은 수를 써넣으시오.

연습

01 서로 다른 숫자가 적힌 카드 중 2장을 골라 만들 수 있는 두 자리 수가 다음과 같을 때, 뒤집어진 카드의 숫자를 구하시오.

4   6

두 번째로 큰 수 : 64

가장 작은 수 : 14

연습

02 서로 다른 숫자가 적힌 카드로 만들 수 있는 두 자리 수가 다음과 같을 때, 빈 카드의 숫자를 구하시오.

| | 9 | 5 | 7 |

세 번째로 큰 수 : 95

두 번째로 작은 수 : 57

연습

03 뒤집어진 서로 다른 숫자 카드 4장으로 만든 두 자리 수가 다음과 같을 때, □ 안에 가장 작은 수를 써넣으시오.

가장 큰 수 : 95

두 번째로 큰 수 : 94

가장 작은 수 : □

두 번째로 작은 수 : 45

크기를 만족하는 수

다음 식의 □ 안에 들어갈 수 있는 숫자를 모두 찾아보려고 합니다.

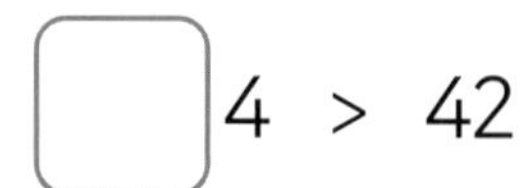

먼저 십의 자리를 비교하면서 42의 십의 자리 숫자인 4와 크기가 비슷하거나 같은 숫자를 먼저 넣어 본 것입니다. 다음 중 올바른 식에 ○표 해 보시오.

[5]4 > 42　　　[4]4 > 42　　　[3]4 > 42

□ 안에 들어갈 수 있는 숫자를 모두 써 보시오.

42를 44로 바꾸면 답이 어떻게 바뀝니까? □ 안에 들어갈 수 있는 숫자를 모두 찾아 쓰시오.

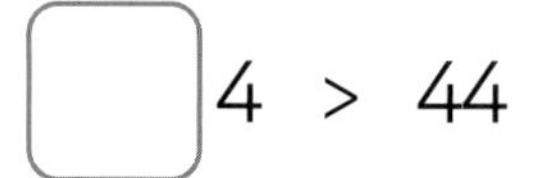

수의 크기를 비교할 때는 십의 자리 숫자를 먼저 비교하고 나서 일의 자리 숫자도 꼭 비교해 봐야 해.

□ 안에 들어갈 수 있는 숫자에 모두 ○표 하시오.

(1) 24 > □1　　　0 1 2 3 4 5 6 7 8 9

(2) 5□ > 56　　　0 1 2 3 4 5 6 7 8 9

깜이는 교실에 꽂혀 있는 책의 개수를 조사했는데 냥이가 실수로 동화책 개수의 십의 자리 수를 지워버렸습니다.

위인전	동화책	과학책	학습만화
43권	□4 권	25권	21권

동화책과 과학책의 개수를 비교했습니다. □ 안에 들어갈 수 있는 숫자에 모두 ○표 하시오.

□4 > 25
동화책 과학책

0 1 2 3 4 5 6 7 8 9

위인전과 동화책의 개수를 비교했습니다. □ 안에 들어갈 수 있는 숫자에 모두 ○표 하시오.

43 > □4
위인전 동화책

0 1 2 3 4 5 6 7 8 9

동화책의 개수가 과학책보다는 많고 위인전보다는 적으려면 동화책의 개수는 몇 권이 되야 합니까?

크기를 만족하는 수

탐구 유형 2-1 크기에 알맞은 숫자

두 자리 수의 크기를 비교한 것입니다. □ 안에 같은 숫자를 넣었을 때, 식을 만족하는 숫자를 구하시오.

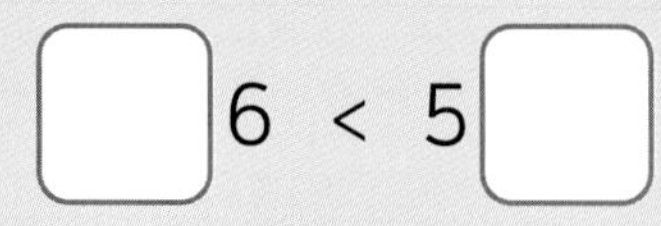

□8 > 4□

• Point 양쪽 식에 모두 들어갈 수 있는 숫자를 구합니다.

(1) □6 < 5□에 같은 숫자를 넣었을 때, 식을 만족하는 숫자를 모두 구하시오.

(2) □8 > 4□에 같은 숫자를 넣었을 때, 식을 만족하는 숫자를 모두 구하시오.

(3) 두 식에 같은 숫자를 넣었을 때, 식을 만족하는 숫자를 구하시오.

연습

01 두 자리 수의 크기를 비교한 것입니다. □ 안에 같은 숫자를 넣었을 때, 식이 완성되는 숫자를 모두 구하시오.

□3 > 5□

2 두 자리 수의 크기를 비교한 것입니다. □ 안에 같은 숫자를 넣었을 때, 식이 완성되는 숫자를 모두 구하시오.

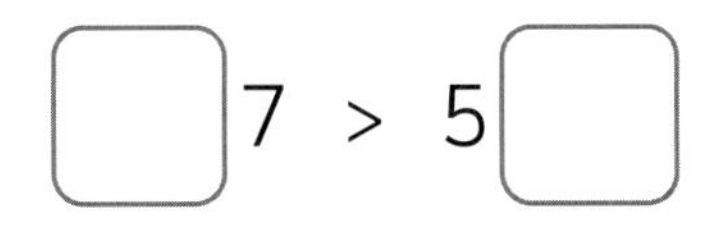

3 두 자리 수의 크기를 비교한 것입니다. □ 안에 같은 숫자를 넣었을 때, 식이 완성되는 숫자를 모두 구하시오.

□6 > 44, 27 > 2□

크기를 만족하는 수

탐구 유형 2-2 지워진 숫자

깜이가 공책에 두 자리 수 세 개의 크기를 비교해 놓았는데 냥이가 실수로 물감을 쏟았습니다.

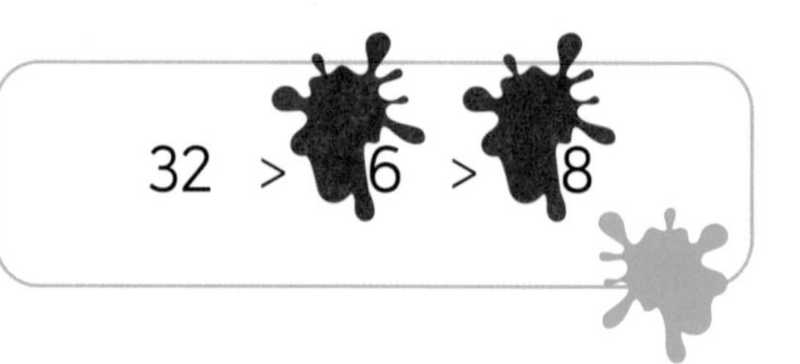

미안! 숫자 2개가 지워졌네.

지워진 두 수가 서로 다른 수이긴 한데…

빈칸에 지워진 숫자를 써넣으시오.

32 > □6 > □8

• Point □6의 십의 자리에 들어갈 수 있는 숫자를 먼저 찾고 □8이 나타내는 수를 구합니다.

(1) 32 > □6의 □ 안에 알맞은 숫자를 모두 구하시오.

(2) (1)에서 구한 숫자를 □6에 넣었을 때, □8에 알맞은 숫자가 있는 경우를 찾으시오.

32 > □6 > □8

01 두 자리의 수의 크기를 비교한 것입니다. □ 안에 알맞은 숫자에 모두 ○표 하시오.

(1) 73 > □7 > 45　　0 1 2 3 4 5 6 7 8 9

(2) 55 > □4 > 28　　0 1 2 3 4 5 6 7 8 9

(3) 86 > □6 > 51　　0 1 2 3 4 5 6 7 8 9

2 수의 크기에 알맞게 □ 안에 알맞은 숫자를 써넣으시오.

(1) 33 > □4 > □5

(2) □2 > □3 > 73

사용된 숫자 카드 4장이 무엇인지부터 생각해 봅니다.

01 네 장의 숫자 카드로 가장 큰 수부터 다섯 번째로 큰 수까지 차례로 적었습니다. 빈칸에 알맞은 수를 써넣으시오.

5□ < □5의 경우 □는 5보다 큰 숫자가 되어야 합니다.

02 두 자리 수의 크기를 비교한 것입니다. 두 식의 □ 안에 같은 숫자를 넣었을 때, 식이 완성되는 숫자를 모두 구하시오.

$$5\square < \square 5 < \square 8$$

$$4\square < \square 4 < 7\square$$

접는 선

03 냥이가 일주일 동안 줄넘기를 한 횟수를 적어둔 수첩에 물감이 쏟아져서 숫자 몇 개가 보이지 않습니다. 줄넘기를 많이 한 순서대로 써 놓은 요일을 보고 □ 안에 알맞은 숫자를 써넣으시오.

요일	월요일	화요일	수요일	목요일	금요일
횟수	□9	38	55	□6	26

수요일 > 목요일 > 화요일 > 월요일 > 금요일

요일의 순서대로 수를 써 놓고 생각해 봅니다.

TOP of TOP

04 서로 다른 숫자가 적힌 카드로 만들 수 있는 두 자리 수를 보고 뒤집어진 숫자 카드에 적힌 숫자를 구하시오.

두 번째로 작은 수 : 24

두 번째로 큰 수 : 52

뒤집어진 카드 숫자를 ㉠이라고 했을 때, 5㉠이 세 번째로 큰 수입니다.

접는 선

TOP 사고력 수학

2. 조건에 맞는 수

수 수수께끼

깜이가 1에서 100까지의 수 중에서 하나를 생각한 다음 냥이의 질문에 '어' 나 '아니' 로 답하고 있습니다.

백판 수 배열표를 활용하여 □ 안에 깜이가 생각한 수를 써넣으시오.

1	2	3	4	5	6	7	8	9	10
11	12	13	14	15	16	17	18	19	20
21	22	23	24	25	26	27	28	29	30
31	32	33	34	35	36	37	38	39	40
41	42	43	44	45	46	47	48	49	50
51	52	53	54	55	56	57	58	59	60
61	62	63	64	65	66	67	68	69	70
71	72	73	74	75	76	77	78	79	80
81	82	83	84	85	86	87	88	89	90
91	92	93	94	95	96	97	98	99	100

문제를 간편하게 해결하기 위해 가장 먼저 따져 봐야 하는 냥이의 질문은 무엇입니까?

냥이가 질문한 조건에 맞는 수를 순서대로 찾으려면 100까지의 모든 수에 대해서 /표를 하면서 따져 봐야 해. 하지만 80보다 크고 100보다 작은 수라는 조건을 먼저 따져 보면 확인해 봐야 하는 수가 줄어들어 훨씬 간편하게 수를 찾을 수 있어.

조건 : 80보다 크고 100보다 작은 수

81	82	83	84	85	86	87	88	89	90
91	92	93	94	95	96	97	98	99	

조건 : 십의 자리 숫자가 일의 자리 숫자보다 크지 않다.

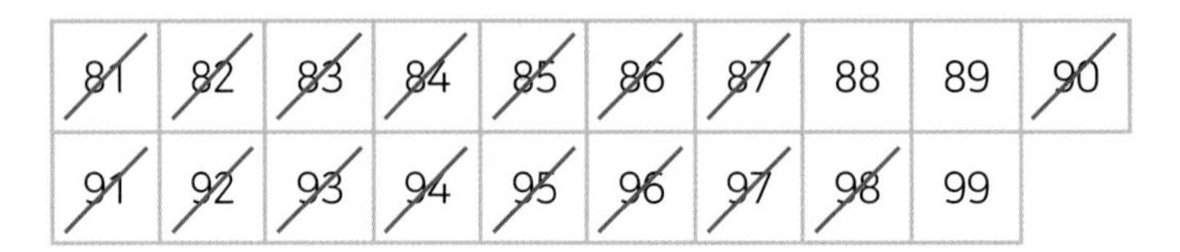

~~81~~	~~82~~	~~83~~	~~84~~	~~85~~	~~86~~	~~87~~	88	89	~~90~~
~~91~~	~~92~~	~~93~~	~~94~~	~~95~~	~~96~~	~~97~~	~~98~~	99	

조건 : 홀수가 아니다.

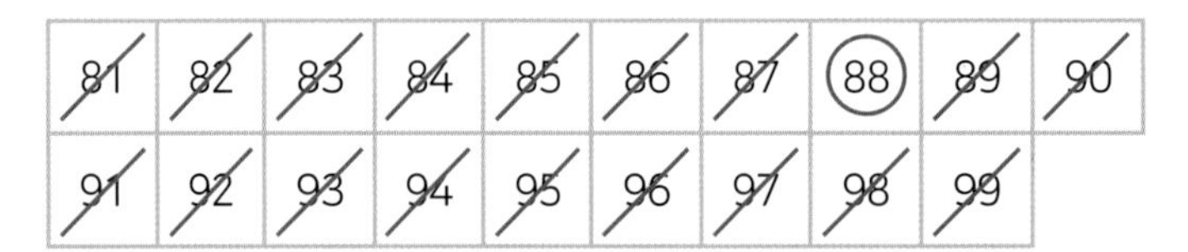

~~81~~	~~82~~	~~83~~	~~84~~	~~85~~	~~86~~	~~87~~	(88)	~~89~~	~~90~~
~~91~~	~~92~~	~~93~~	~~94~~	~~95~~	~~96~~	~~97~~	~~98~~	~~99~~	

조건이 여러 개인 경우 조건을 따져 보는 순서에 따라 문제를 해결하는 방법이 훨씬 간편해질 수 있어!

아래의 조건에 모두 해당하는 수를 구하시오.

① 두 자리 수입니다.
② 짝수입니다.
③ 십의 자리 숫자와 일의 자리 숫자의 합이 7입니다.
④ 30보다 작은 수입니다.

1 조건에 맞는 수

두 자리 수에서 어떠한 조건이 주어졌을 때, 조건에 맞는 수를 구하려고 합니다.

45보다 크고 71보다 작은 수 중에서 십의 자리 숫자가 일의 자리 숫자보다 작은 수는 모두 몇 개입니까?

46부터 70까지 모두 써놓고 십의 자리 숫자와 일의 자리 숫자를 비교하면 되겠네.

					46	47	48	49	50
51	52	53	54	55	56	57	58	59	60
61	62	63	64	65	66	67	68	69	70

십의 자리 숫자가 4, 5, 6인 경우로 나누어 바로 구할 수도 있어.

십의 자리 숫자가 각각 4, 5, 6일 때, 십의 자리 숫자가 일의 자리 숫자보다 작은 두 자리 수를 모두 구하시오.

십의 자리 숫자가 4일 때 :

십의 자리 숫자가 5일 때 :

십의 자리 숫자가 6일 때 :

구한 수는 모두 몇 개입니까?

조건에 수의 범위가 있는 경우 범위 안의 십의 자리나 일의 자리 숫자를 먼저 정해 놓으면 간편할 때가 많아.

1 조건에 맞는 수

십의 자리 숫자와 일의 자리 숫자의 차가 2인 두 자리 수를 작은 수부터 차례로 나열할 때, 여덟째 수는 얼마인지 구하려고 합니다.

작은 수부터 나열해야 하니까 십의 자리의 숫자가 1일 때부터 생각해 봐야겠어.

내가 조건에 맞게 차례대로 모든 두 자리 수를 나열해 볼게.

13, 20, 24, 31, 35, 42, 46, 53, 57, 64, 68, 75, 79, 86, 97

여덟째 수는 53이 되지. 이때, 십의 자리 숫자가 2부터 7일 때까지는 각각 일의 자리 숫자가 2개씩 있다는 것에 유의해야 해.

31에서 61까지의 수 중에서 십의 자리 숫자가 일의 자리 숫자보다 큰 수는 모두 몇 개인지 구하시오.

탐구 유형 1-1 **두 자리 숫자의 합**

두 자리 수 중에서 십의 자리 숫자와 일의 자리 숫자의 합이 8이 되는 수는 모두 몇 개인지 구하시오.

• Point 합이 8이 되는 두 숫자를 모두 찾아봅니다. 이때, 0이나 같은 숫자도 생각해야 합니다.

(1) □ 안에 합이 8이 되는 숫자를 쓰고 두 숫자로 만들 수 있는 두 자리 수를 모두 쓰시오.

- 0과 □ → 만들 수 있는 두 자리 수 : ______
- 1과 □ → 만들 수 있는 두 자리 수 : ______
- 2와 □ → 만들 수 있는 두 자리 수 : ______
- 3과 □ → 만들 수 있는 두 자리 수 : ______
- 4와 □ → 만들 수 있는 두 자리 수 : ______

(2) 십의 자리 숫자와 일의 자리 숫자의 합이 8이 되는 수는 모두 몇 개인지 구하시오.

습

01 두 자리 수 중에서 십의 자리 숫자와 일의 자리 숫자의 합이 9가 되는 수는 몇 개인지 구하시오.

연습 02 두 자리 짝수 중에서 십의 자리의 숫자가 일의 자리의 숫자의 2배인 수를 모두 구하시오.

연습 03 다음 숫자 카드 중 빨간색 카드는 십의 자리 숫자로, 파란색 카드는 일의 자리 숫자로 사용해서 두 자리 수를 만들려고 합니다. 두 숫자의 합이 짝수인 두 자리 수는 몇 개인지 구하시오.

1 2 6   0 1 5

탐구 유형 1-2 두 조건을 만족하는 수

다음 두 조건을 만족하는 수는 모두 몇 개인지 구하시오.

① 9보다 크고 50보다 작은 수입니다.

② 12, 23과 같이 십의 자리 숫자와 일의 자리의 숫자의 차가 1입니다.

• Point 십의 자리 숫자가 1, 2, 3, 4일 때 두 번째 조건을 따져 봅니다.

(1) 십의 자리 숫자가 1, 2, 3, 4일 때 ②번 조건을 만족하는 수를 모두 쓰시오.

- 십의 자리 숫자가 1일 때 :
- 십의 자리 숫자가 2일 때 :
- 십의 자리 숫자가 3일 때 :
- 십의 자리 숫자가 4일 때 :

(2) 두 가지 조건을 모두 만족하는 수는 몇 개인지 구하시오.

습

01 다음 두 조건을 만족하는 두 자리 수를 모두 구하시오.

- 십의 자리 숫자와 일의 자리 숫자의 합은 7입니다.
- 십의 자리 숫자와 일의 자리 숫자의 차는 3입니다.

조건에 맞는 수

02 다음 세 조건을 모두 만족시키는 두 자리 수를 구하시오.

- 홀수입니다.
- 70보다 크고 80보다 작습니다.
- 십의 자리 숫자가 일의 자리 숫자보다 작습니다.

03 다음 세 조건을 만족하는 두 자리 수를 구하시오.

- 십의 자리 숫자와 일의 자리 숫자를 바꾸면 더 큰 수가 됩니다.
- 십의 자리 숫자와 일의 자리 숫자의 합이 12입니다.
- 50보다 큰 수입니다.

탐구 유형 1-3 큰 수, 작은 수

빨간 상자에 수를 넣으면 더 큰 수가 나오고, 파란 상자에 수를 넣으면 더 작은 수가 나옵니다. 상자에 ㉠을 3번씩 넣었습니다. ㉠에 알맞은 수를 구하시오.

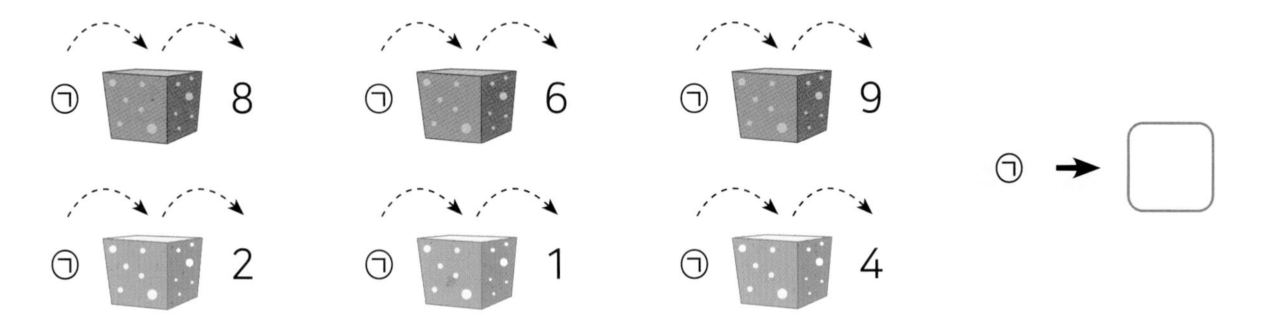

• Point 빨간색과 파란색 상자의 경우를 나눠서 생각해 봅니다.

(1) 빨간색 상자에 넣었을 때, ㉠이 될 수 있는 수를 가장 큰 수부터 차례로 5개 쓰시오.

(2) 파란색 상자에 넣었을 때, ㉠이 될 수 있는 수를 가장 작은 수부터 차례로 5개 쓰시오.

(3) ㉠에 알맞은 수를 구하시오.

습

01 빨간 상자에 수를 넣으면 더 큰 수가 나오고, 파란 상자에 수를 넣으면 더 작은 수가 나옵니다. 상자에 ㉡을 3번씩 넣었습니다. ㉡에 알맞은 수를 구하시오.

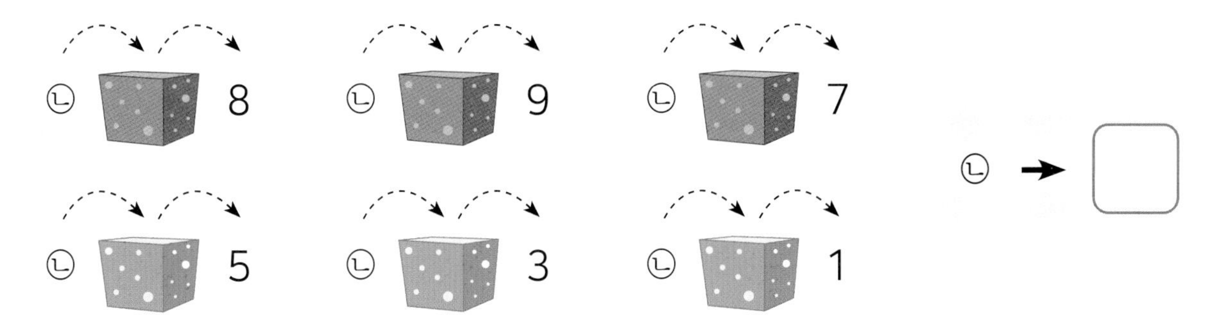

조건에 맞는 수

연습

02 뒤집어 놓은 숫자 카드 뒷면에는 모두 같은 숫자가 쓰여 있습니다. 두 장의 숫자 카드 중에서 오른쪽 카드가 더 큰 숫자입니다. 이 때 뒤집어 놓은 카드에 쓰여진 숫자를 구하시오.

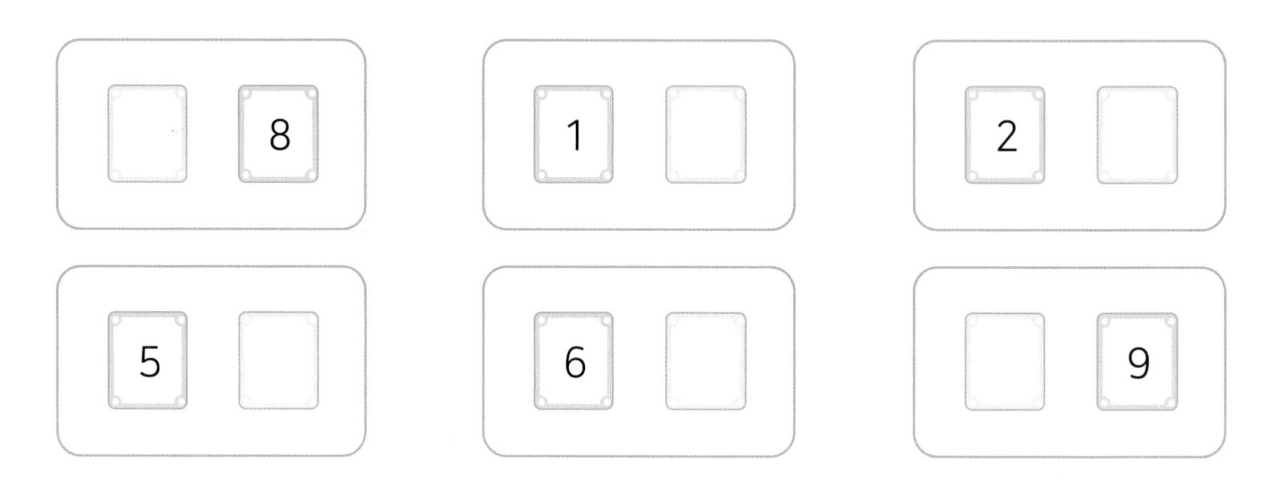

연습

03 양팔저울에 수를 놓았을 때, 양팔저울은 큰 수가 있는 쪽으로 기울어십니다. 양팔저울의 □ 안에 똑같이 들어가는 수를 구하시오.

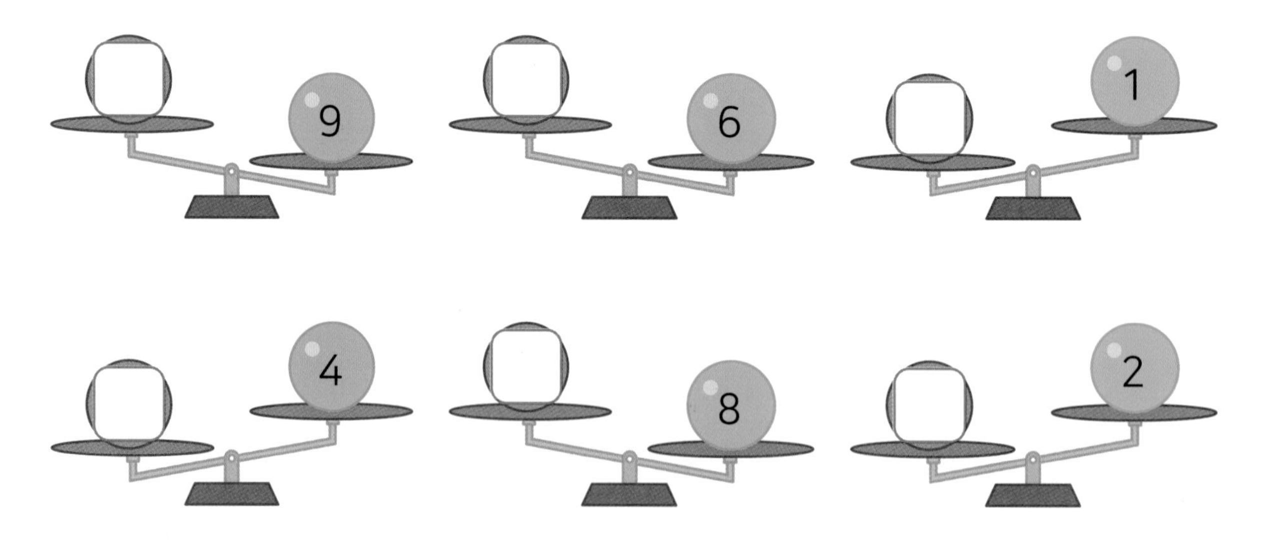

수 수수께끼

탐구 유형 2-1 설명하는 수 찾기

동물들이 아래 수 카드에서 하나씩 서로 다른 카드를 가지고 있습니다. 개구리가 가지고 있는 카드의 수를 쓰시오.

28	80	13	37	66

홀수는 아냐.

50보다 크고 80보다 작은 수야.

십의 자리 숫자와 일의 자리 숫자의 합이 8이야.

• Point 조건에 맞는 수를 중복되지 않도록 찾습니다.

(1) 개구리가 가지고 있을 수 있는 카드의 수를 모두 쓰시오.

(2) 다람쥐와 부엉이가 가지고 있는 카드의 수를 쓰시오.

 : 

 : 

(3) 개구리가 가지고 있는 카드의 수를 쓰시오.

 : 

2 수 수수께끼

연습 01 □ 안에 알맞은 이름을 쓰시오.

나경 : 십의 자리 숫자와 일의 자리 숫자의 합이 8이야.

가희 : 일의 자리 숫자와 십의 자리 숫자가 같아.

라율 : 20보다 크고 40보다 작은 수야.

다정 : 십의 자리 숫자가 일의 자리 숫자보다 커.

연습 02 두 사람이 서로 다른 수를 찾고 있습니다. 깜이가 찾는 수에는 ○표를, 냥이가 찾는 수에는 △표를 하시오.

74 27 57 46 37

예비활동 가이드 1쪽

있다없다 수수께끼

탐구 유형 2-2 있다 없다 수수께끼

냥이가 1에서 9까지의 수 중에서 하나를 생각했습니다. 아래 깜이와 냥이의 대화를 보고 냥이가 생각한 수를 구하시오.

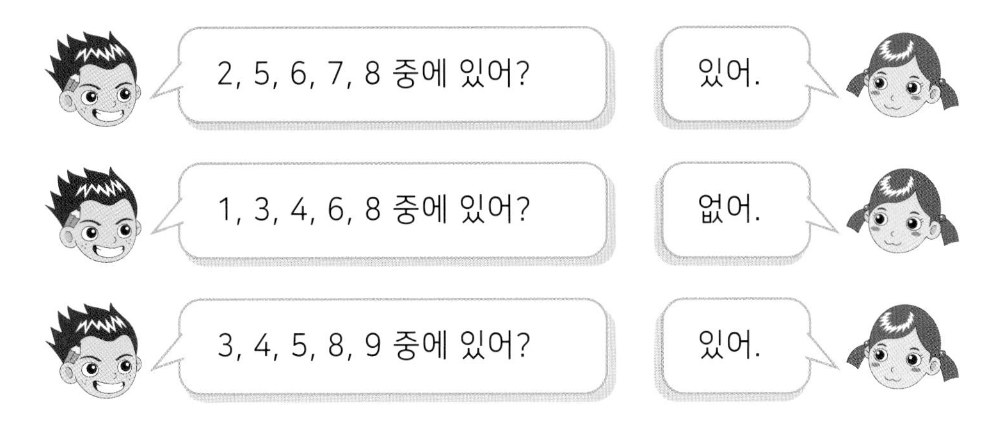

• Point 질문의 순서를 바꿔 냥이가 공통으로 있다고 대답한 수를 찾습니다.

(1) 첫 번째와 세 번째 질문에서 냥이가 두 번 다 있다고 대답한 수를 모두 쓰시오.

(2) 두 번째 질문에서 냥이가 없다고 대답한 수를 보고 냥이가 생각한 수를 구하시오.

01 1에서 9까지의 수 중 하나를 찾으려고 합니다. ○표시가 된 칸에는 찾으려는 수가 있고 ×표시가 된 칸에는 찾으려는 수가 없습니다. 찾으려는 수를 구하시오.

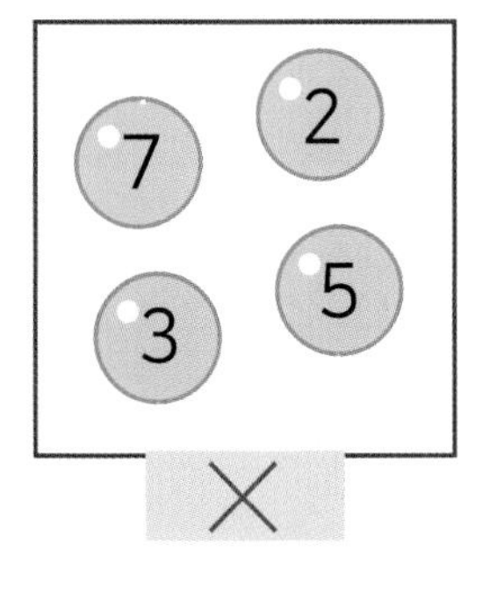

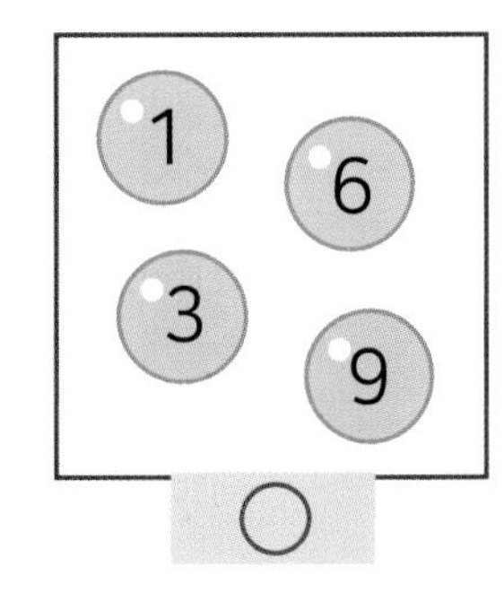

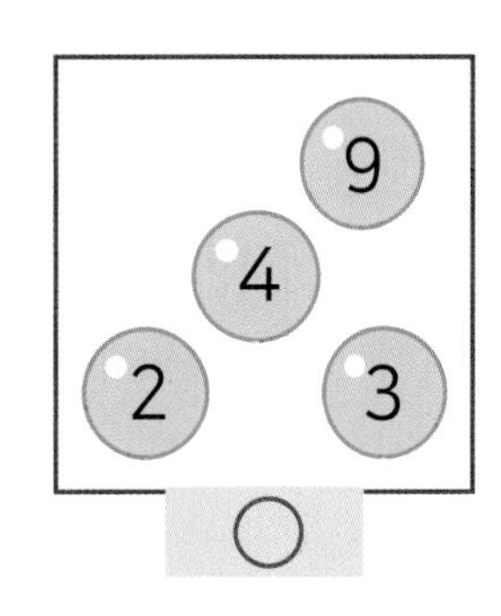

수 수수께끼

연습

02 깜이는 1에서 9까지의 수 중 하나를 생각했습니다. 아래 내용을 보고 깜이가 생각한 수를 구하시오.

- 1, 4, 5, 6, 7, 9 중에 있습니다.
- 1, 2, 3, 5, 8, 9 중에 있습니다.
- 1, 2, 6, 9 중에는 없습니다.

연습

03 냥이가 숫자 카드 하나를 찾고 있습니다. 냥이가 찾는 수를 구하시오.

0 6 3 4

이쪽엔 없어요.

5 6 8 9

이쪽엔 없어요.

1 4 5 7

이쪽에 있어요.

1 8 5 6

이쪽에 있어요.

탐구 유형 2-3 가로세로 수 퍼즐

다음 가로세로 수 퍼즐을 완성하시오.

㉠		①	㉣	
			②	㉤
	㉡			
	③	㉢		
		④		

가로

① 20보다 크고 30보다 작은 두 자리 홀수 중 십의 자리 숫자가 일의 자리 숫자보다 3 작은 수.

② 십의 자리 숫자와 일의 자리 숫자의 합이 8인 수

③ 20보다 작은 두자리 수 중 가장 큰 수

④ 37과 일의 자리 숫자가 같은 수

세로

㉠ 숫자카드 0, 3, 5, 7 중 2장을 골라 만들 수 있는 두 자리 수 중에 네 번째로 작은 수

㉡ 70보다 크고 80보다 작은 수

㉢ 십의 자리 숫자가 일의 자리 숫자보다 5 큰 수

㉣ 일의 자리 숫자와 십의 자리 숫자가 같은 수

㉤ 일의 자리 숫자가 십의 자리 숫자의 2배인 수

• Point 구하기 쉬운 것을 먼저 해결합니다.

첫 번째 조건을 만족하는 수를 먼저 구한 다음 생각해 봅니다.

01 다음 세 조건을 모두 만족하는 수는 27입니다. □ 안에 들어갈 수 있는 가장 큰 수를 고르시오.

- 십의 자리 숫자보다 일의 자리 숫자가 5 큽니다.
- 20보다 크고 □보다 작은 두 자리 수입니다.
- 홀수입니다.

① 30 ② 38 ③ 40 ④ 49 ⑤ 50

31은 일의 자리의 숫자가 4보다 작지만 30송이보다 많고 40송이보다 적습니다.

02 꽃밭에 다녀온 꿀벌들이 각자 서로 다른 꽃의 개수를 세었습니다. 꽃 아래의 수는 꽃밭에 있는 꽃이 몇 송이인지를 나타냅니다. 나 꿀벌이 센 꽃에 ○표 하시오.

가: 30송이보다 많고 40송이보다 적어.

나: 일의 자리 숫자는 6보다 작아.

다: 홀수이고 십의 자리와 일의 자리 숫자의 합이 9보다 커.

82	28	68	31	75

접는 선

03 냥이가 숫자 3개를 생각하고 깜이가 물어본 숫자 중 생각한 숫자가 몇 개 있는지 말해주고 있습니다. 냥이가 생각한 숫자 3개를 쓰시오.

> 첫 번째와 두 번째 질문에서 냥이가 생각한 숫자 하나를 알 수 있습니다.

TOP of TOP

04 다음 세 조건을 모두 만족하는 두 자리 수 중에서 가장 큰 수를 구하시오.

> 두 번째와 세 번째 조건에서 십의 자리의 숫자는 5보다 작습니다.

- 십의 자리와 일의 자리의 숫자의 차가 2보다 큽니다.
- 십의 자리와 일의 자리의 숫자의 합은 10보다 작습니다.
- 일의 자리의 숫자가 십의 자리의 숫자보다 큽니다.

접는 선

TOP 사고력 수학

3. 모양 겹치기

생각열기

예비활동 동영상

돌리거나 뒤집어서 모양 겹치기

탐구주제

예비활동 동영상

1. 모양 겹치기

1-1. 색칠된 칸의 개수 / 겹쳐서 칸의 개수 세기

1-2. 모양 겹치기 / 겹쳐진 모양 그리기

예비활동 동영상

2. 겹쳐진 부분의 모양과 개수

예비활동 동영상

2-1. 종이 접어 겹치기 / 종이를 접어서 나오는 모양

2-2. 겹쳐진 부분의 모양 / 겹쳐진 부분과 전체

2-3. 겹쳐서 나누기 / 겹쳐서 나누어진 부분의 개수

TOP 사고력

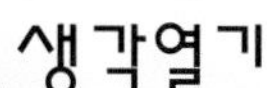

돌리거나 뒤집어서 모양 겹치기

예비 활동 가이드 2쪽

돌려서 모양 겹치기

크기가 같은 투명 종이 2장에 각각 다르게 색을 칠하였습니다. 두 투명 종이를 하나로 합치면 몇 개의 칸에 색칠이 되는지 알아보려고 합니다. 단, 두 투명 종이 모두 뒤집지 않습니다.

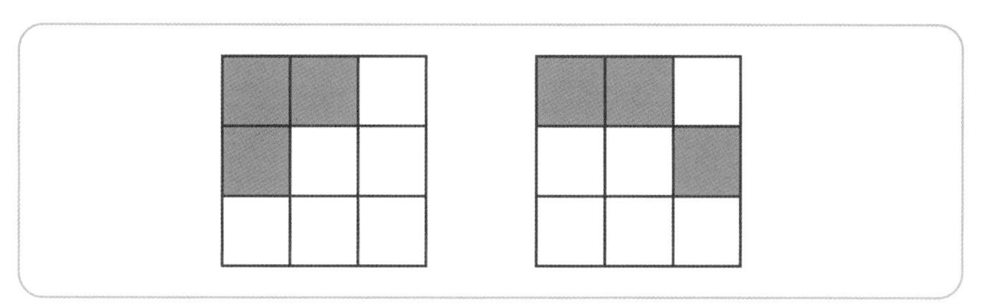

오른쪽과 같이 겹쳐지니까 모두 4칸에 색칠이 되네.

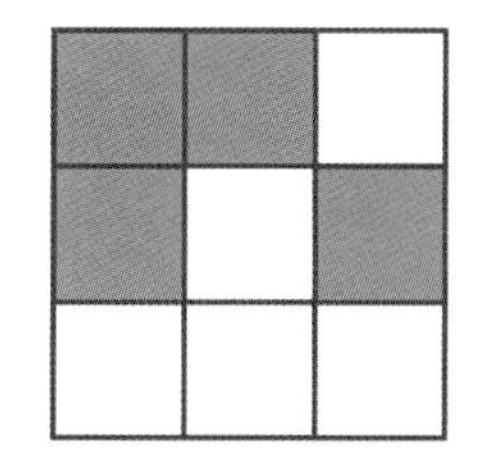

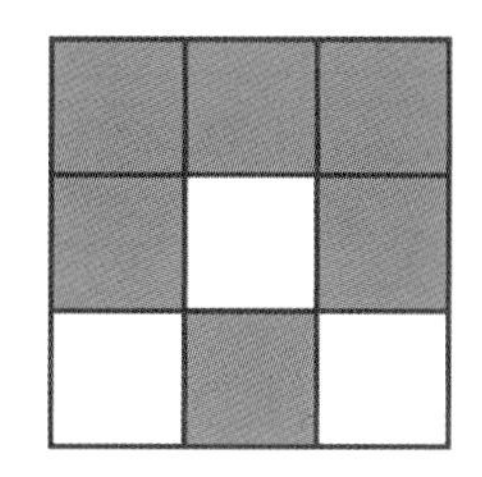

어 내가 겹쳐 보았을 땐 6칸이나 색칠이 되는데?

선생님은 겹쳐 보니 5칸이 색칠되어 있던데 색칠된 칸의 개수가 모두 다르다니 신기하지 않니?

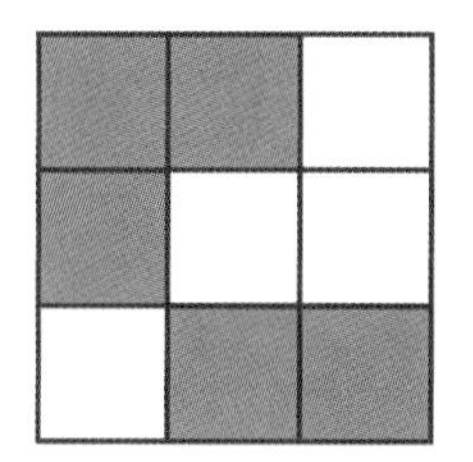

다음 두 투명 종이를 겹쳐서 색칠된 칸이 가장 많도록 할 때, 몇 칸이 색칠됩니까? 단, 두 투명 종이 모두 뒤집지 않습니다.

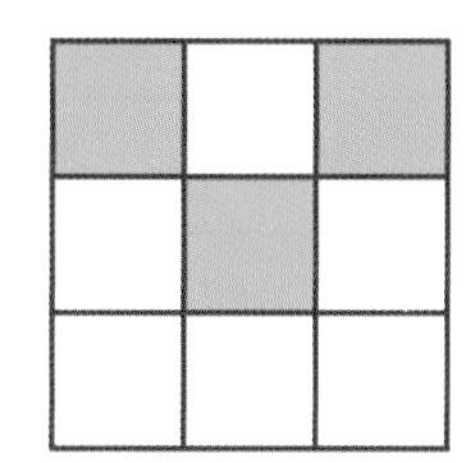

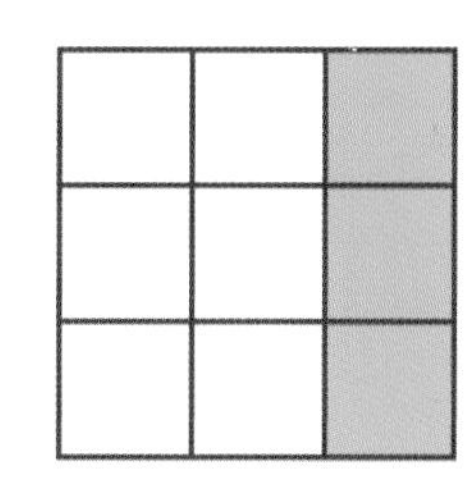

두 투명 종이를 겹치는 여러 가지 방법을 찾을 때는 하나는 고정시켜 놓고 나머지 하나를 돌려서 겹치는 방법이 있어.

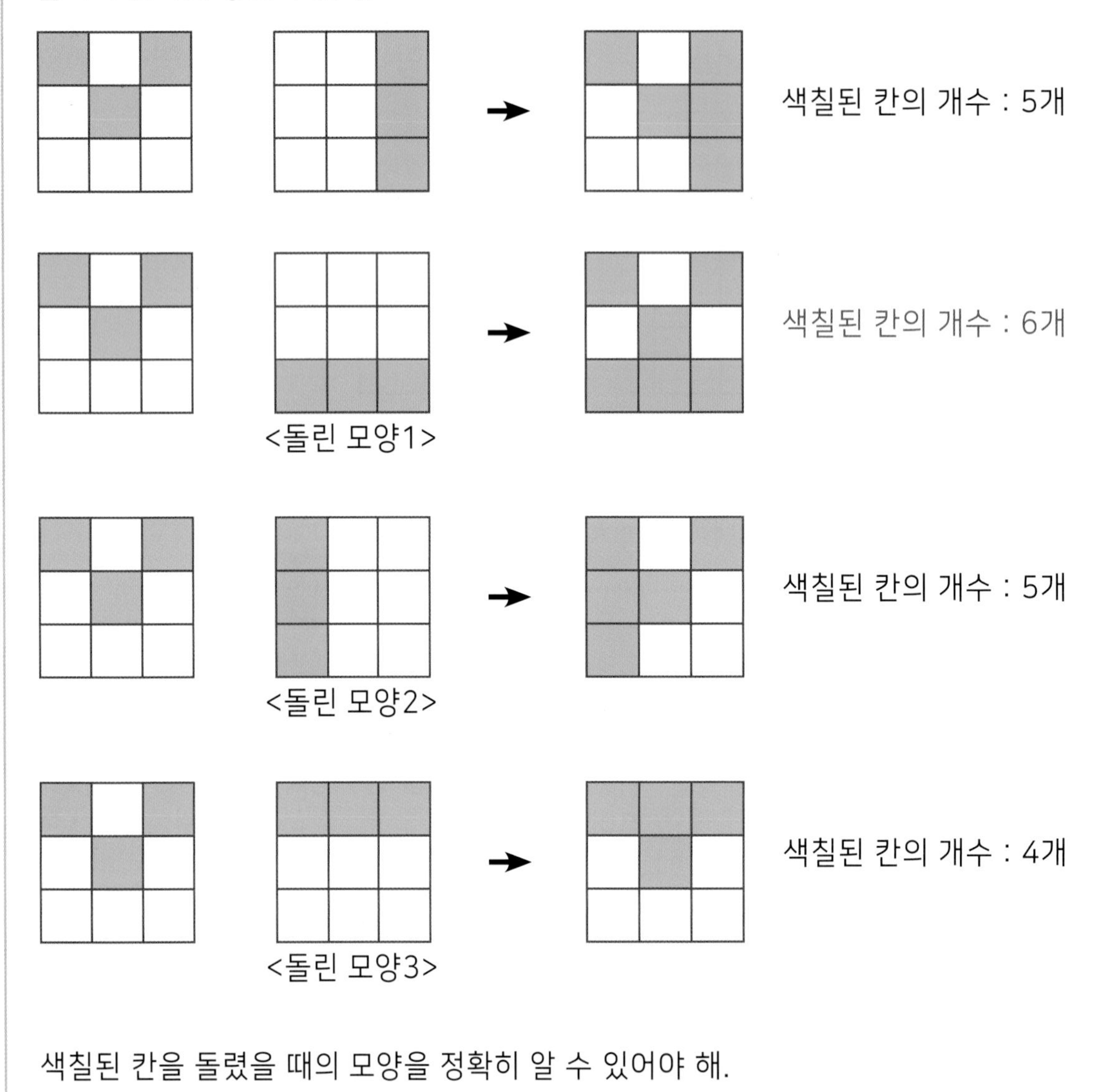

색칠된 칸을 돌렸을 때의 모양을 정확히 알 수 있어야 해.

다음 두 투명 종이를 겹쳐서 색칠된 칸이 가장 적도록 할 때, 몇 칸이 색칠됩니까?
단, 두 투명 종이 모두 뒤집지 않습니다.

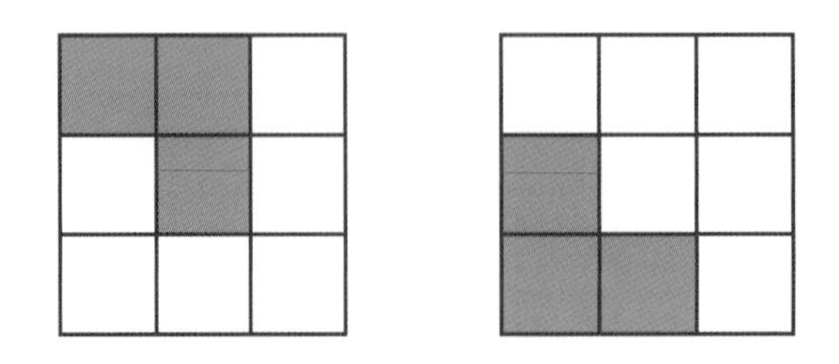

예비 활동 가이드 3쪽

이번에는 모양을 뒤집어서 겹치면 어떤 모양이 될지 생각해 볼까?

① 색의 위치가 같으면 두 투명 종이를 그대로 움직여서 겹쳐.

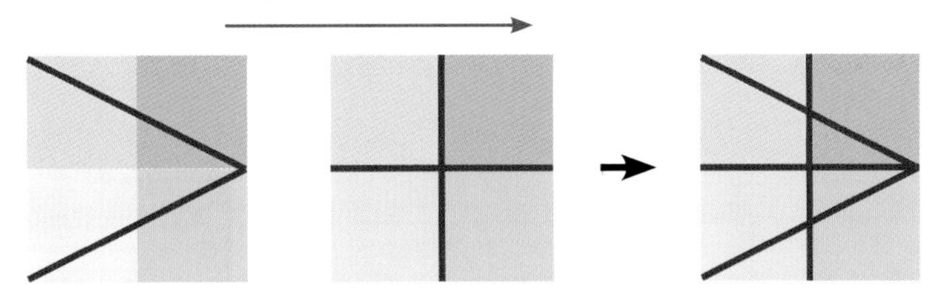

② 색의 왼쪽과 오른쪽이 바뀐 투명 종이는 한 번 뒤집어서 같은 위치에 오도록 겹치면 돼.

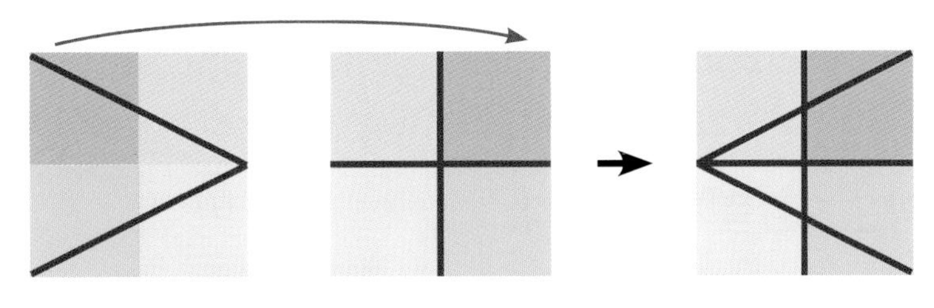

색이 같게 겹쳤을 때 어떤 모양이 나오는지 그리시오.

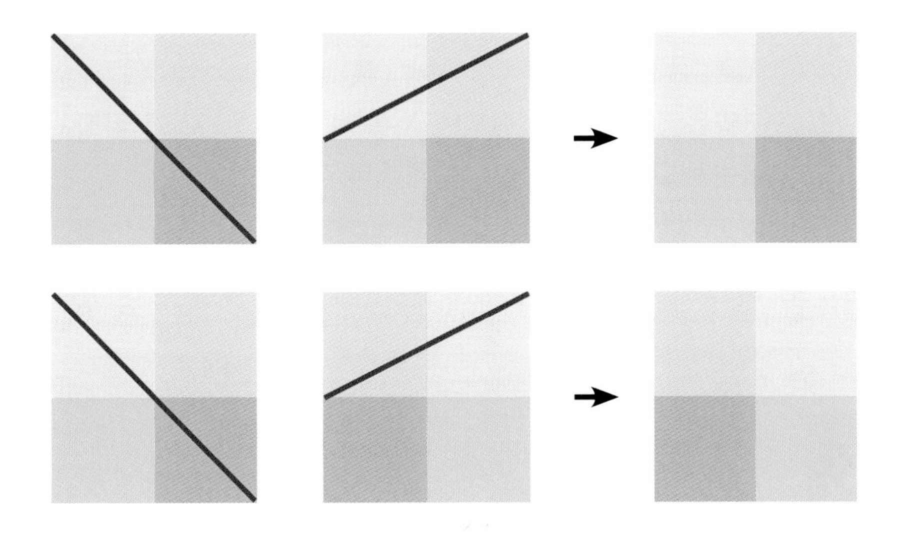

두 투명 종이의 색이 같은 위치에 있는지 확인하는 것이 중요해!!

가와 나 투명 종이를 겹친 모양이 나오도록 나 투명 종이에 알맞은 모양을 그리려고 합니다. 단, 두 투명 종이의 선이 겹치지는 않습니다.

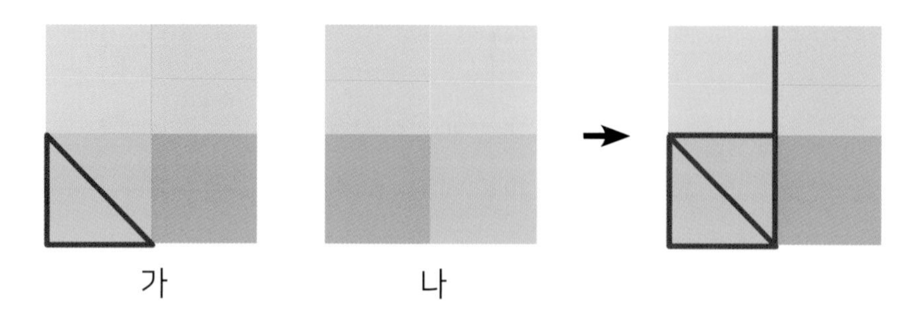

① 가 투명 종이는 색의 위치가 같으므로 그대로 겹쳤음을 알 수 있습니다. 겹친 모양에서 가 모양을 빼면 나머지 투명 종이 모양은 오른쪽과 같습니다. ➔

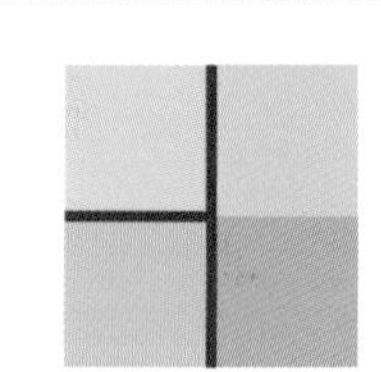

② 나 투명 종이는 색의 위치가 다르므로 나 투명 종이에는 뒤집기 전 모양을 그려야 합니다. ➔

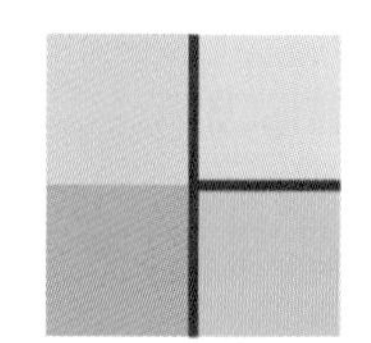

겹쳐진 모양을 찾아낸 다음 색의 위치를 보고 투명 종이를 뒤집어서 겹쳤는지 그냥 겹쳤는지를 파악해야 해!!

겹친 모양이 되도록 빈 곳에 알맞은 모양을 그리시오. 단, 두 투명 종이의 선이 겹치지는 않습니다.

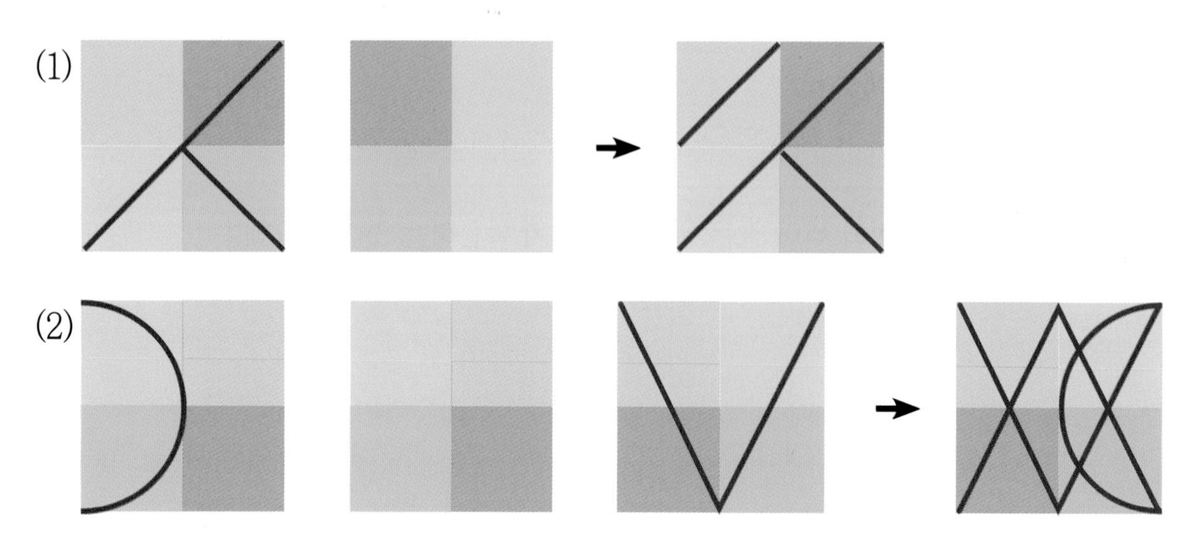

1 모양 겹치기

탐구 유형 1-1 색칠된 칸의 개수

색칠된 칸이 가장 적게 가, 나, 다 세 투명 종이를 겹치려고 합니다. 이때, 색칠된 칸은 몇 칸인지 구하시오. 단, 세 투명 종이 모두 뒤집지 않습니다.

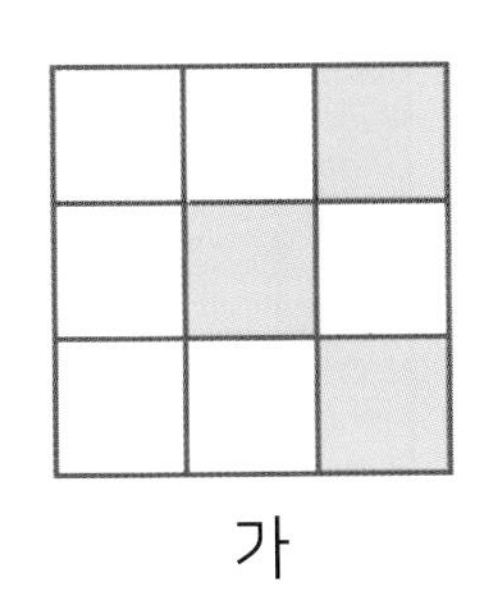
가

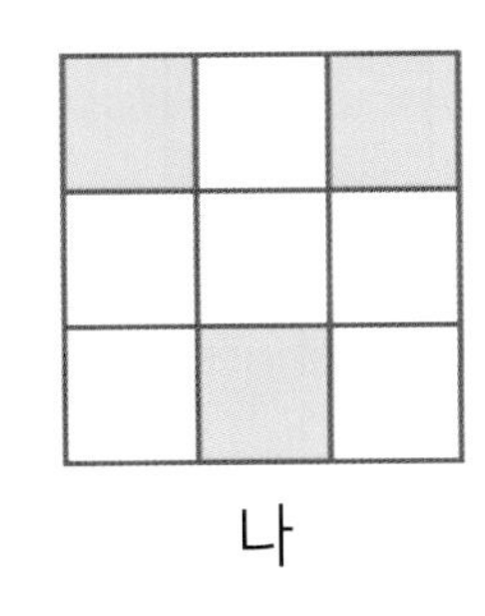
나

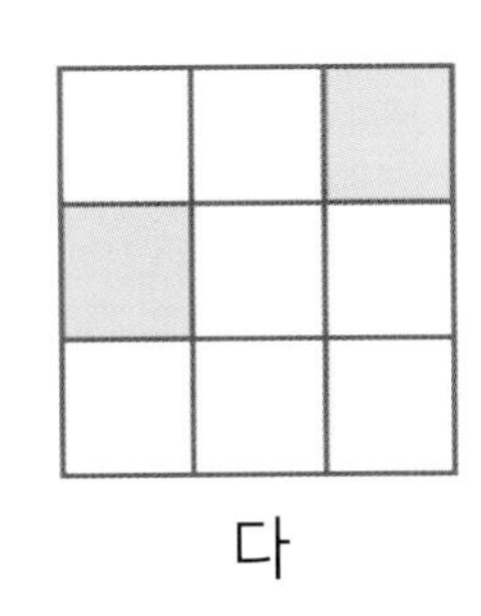
다

• Point 두 장만 먼저 비교합니다.

(1) 가와 나 투명 종이를 색칠된 칸이 가장 적게 겹친 그림을 그리시오.

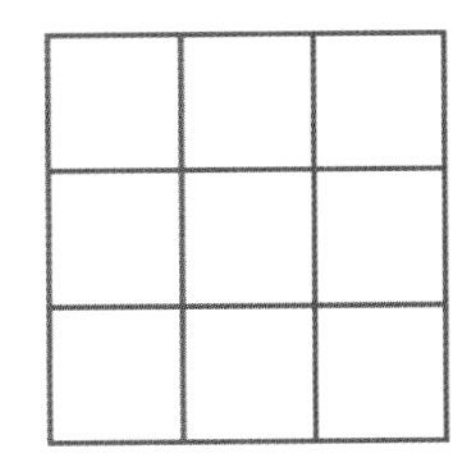

(2) (1)에서 구한 모양에 다 투명 종이를 색칠된 칸이 가장 적게 겹친 그림을 그리시오.

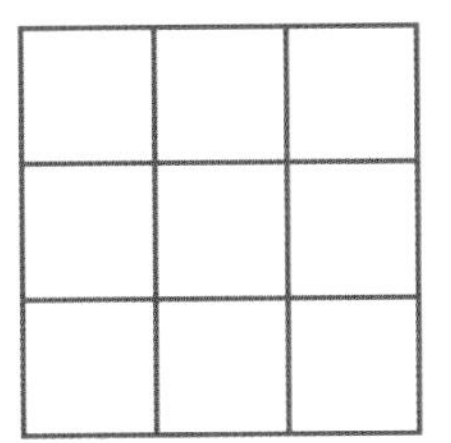

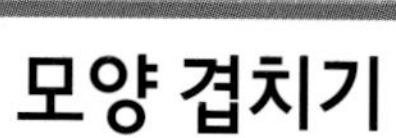

탐구주제 1 모양 겹치기

연습 01 세 투명 종이를 겹쳐서 색칠된 칸이 가장 많을 때, 색칠된 칸의 개수를 구하시오. 단, 세 투명 종이 모두 뒤집지 않습니다.

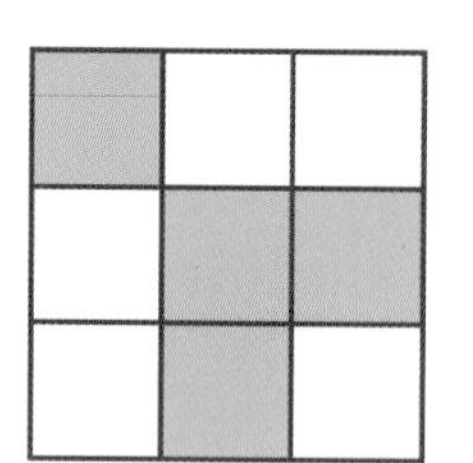 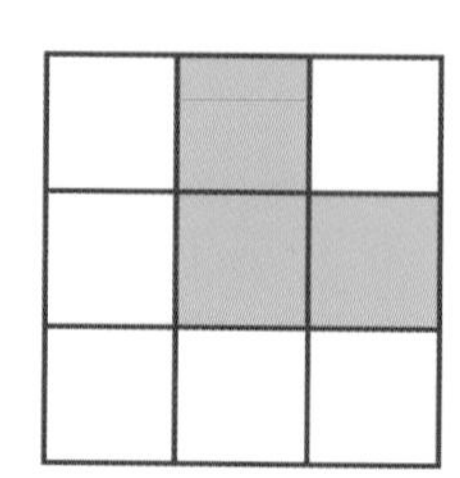 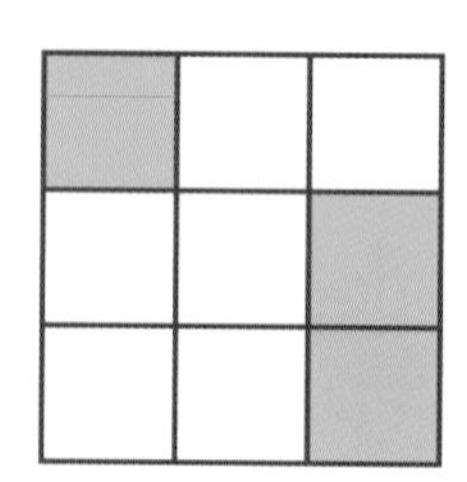

연습 02 두 투명 종이를 세모 모양으로 색칠된 칸이 가장 많도록 겹치려고 합니다. 이때, 색칠된 세모 모양의 칸은 몇 개인지 구하시오. 단, 두 투명 종이 모두 뒤집지 않습니다.

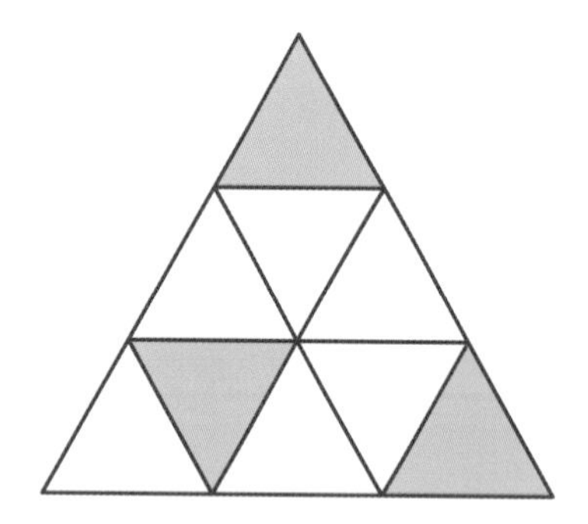 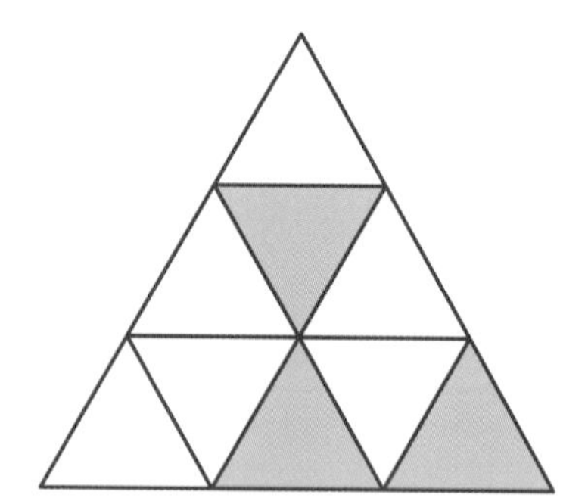

탐구 유형 1-2 모양 겹치기

세 투명 종이를 색이 같아지도록 모두 겹쳤을 때 어떤 모양이 나오는지 그리시오.

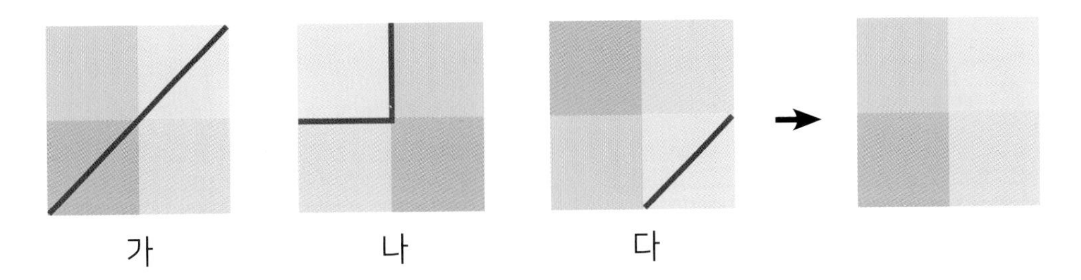

• Point 왼쪽이나 오른쪽이 아닌 위나 아래로 뒤집어야 하는 경우도 있습니다.

(1) 가, 나, 다 투명 종이를 색이 같아지도록 한 다음 모양을 그리시오.

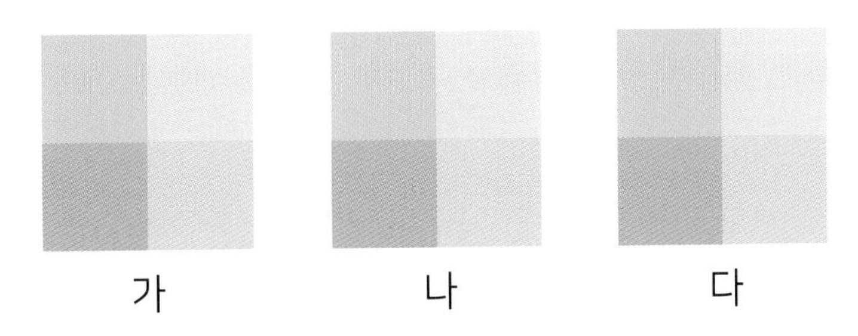

색의 위치가 같아지려면 다 투명 종이는 아래쪽이나 위쪽으로 뒤집어야 해.

(2) 자리의 색이 같아지도록 세 투명 종이를 모두 겹친 모양을 그리시오.

연습 01 세 투명 종이를 색이 같아지도록 겹칠 때, 어떤 모양이 나오는지 그리시오.

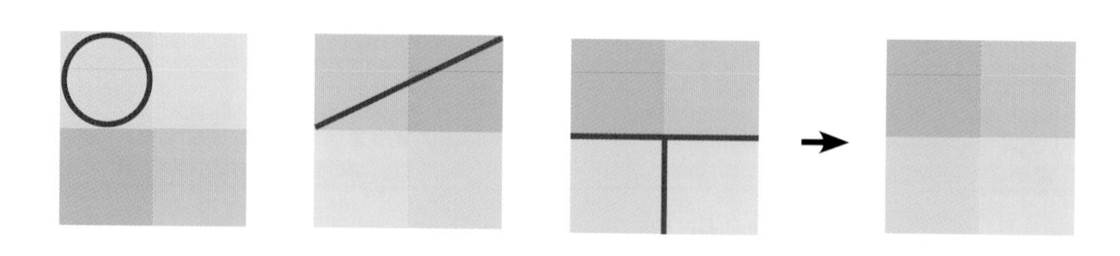

연습 02 세 투명 종이를 색이 같도록 겹쳐 아래의 모양이 나왔을 때, 가운데 투명 종이에 알맞은 모양을 그리시오. 단, 세 투명 종이의 선이 겹치지는 않습니다.

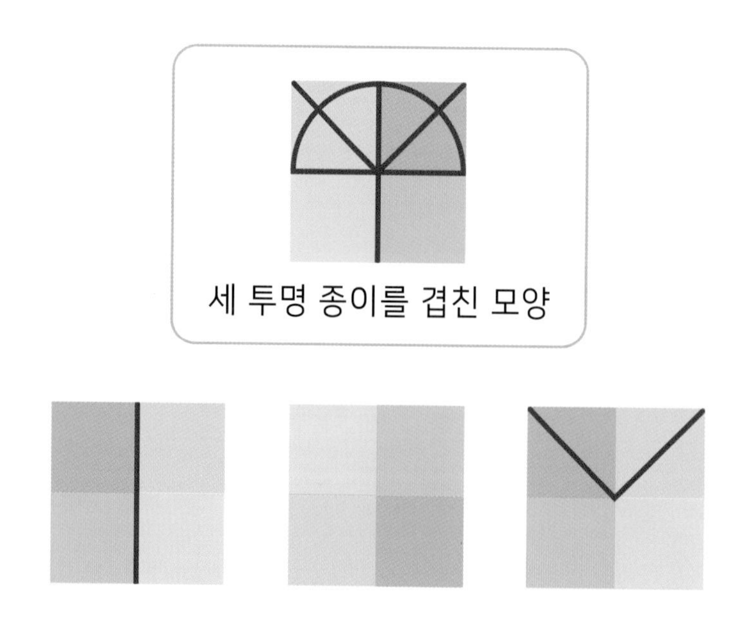

2 겹쳐진 부분의 모양과 개수

예비 활동 가이드 4쪽

세 모양의 종이 중 두 종이를 골라서 겹쳤더니 두 겹으로 겹쳐진 부분의 모양이 오른쪽과 같습니다. 이때, 겹친 두 종이는 무엇인지 알아보려고 합니다.

다음 중 2장의 종이를 골라 겹쳤더니 종이가 두 겹으로 겹쳐진 부분의 모양이 다음과 같습니다. 겹친 두 종이에 ○표 하시오.

겹쳐진 부분의 모양과 개수

크기와 모양이 같은 두 세모의 일부분을 겹쳐서 3개의 부분으로 나눌 수 있습니다.

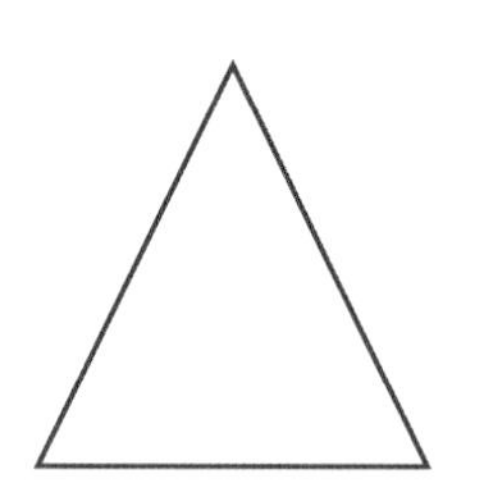
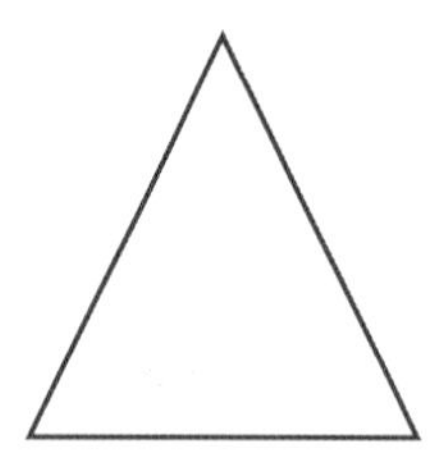
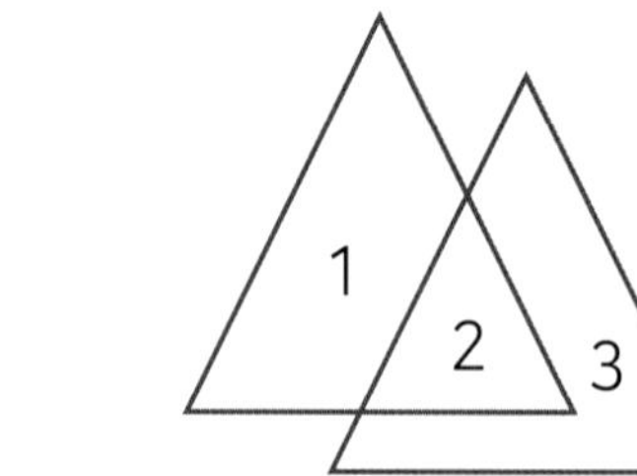

나누어지는 부분의 개수가 다르게 두 모양을 이리저리 돌려서 겹쳐 볼까?

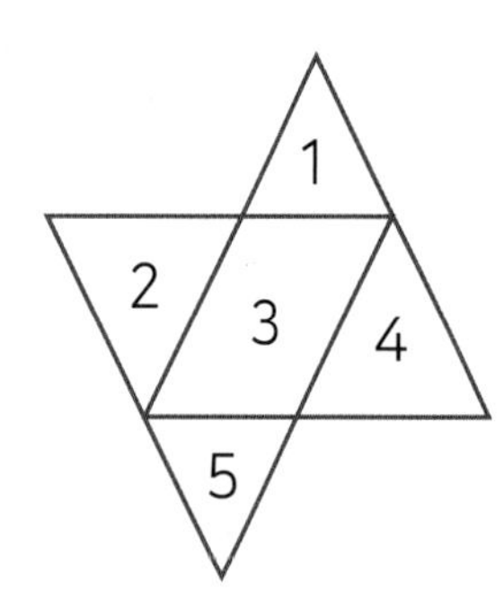

두 모양을 이리저리 돌려서 겹치니까
5부분으로 나누어졌어요.

하나를 거꾸로 해서 겹치니까
7부분으로 나누어졌어요.

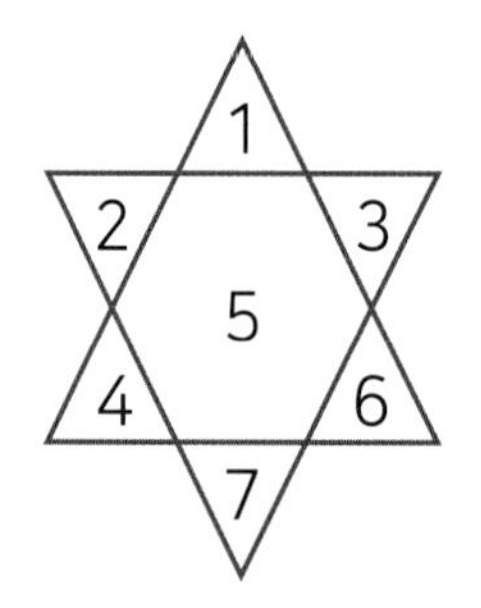

모양을 돌려서 이리저리 겹쳐 보면 나누어지는 부분이 다르게 겹칠 수 있어.

두 모양을 겹쳤을 때, 나누어지는 부분이 4개가 되도록 겹친 모양을 그리시오.

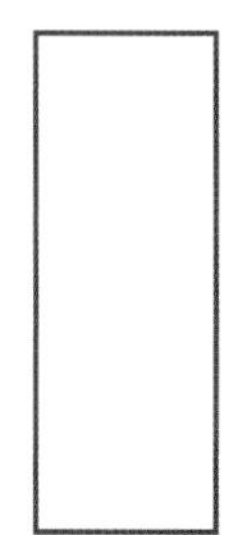
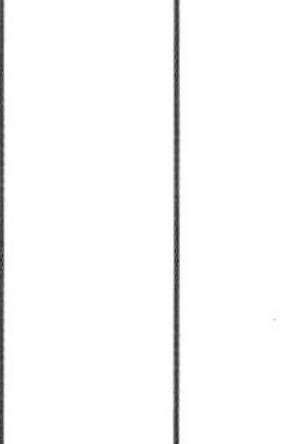

예비활동 가이드 5쪽

탐구 유형 2-1 종이 접어 겹치기

보기 는 주어진 모양의 종이를 선을 따라 화살표 방향으로 접을 때, 나오는 모양을 나타낸 것입니다. 주어진 모양을 선을 따라 접었을 때 나오는 모양에 ○표 하시오.

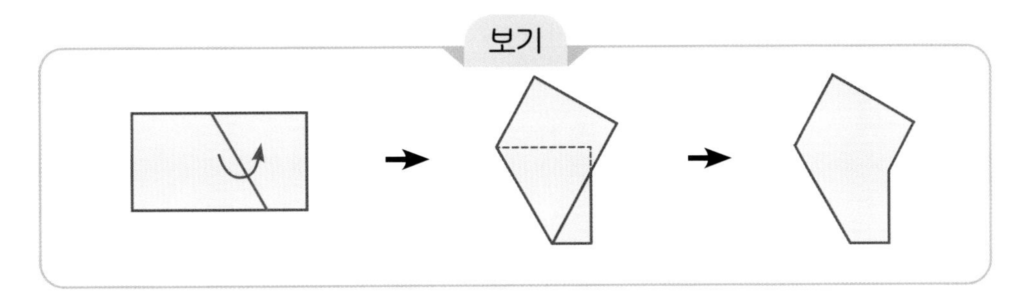

• Point 접는 선을 기준으로 화살표를 따라 접어서 올라가는 모양을 잘 관찰합니다.

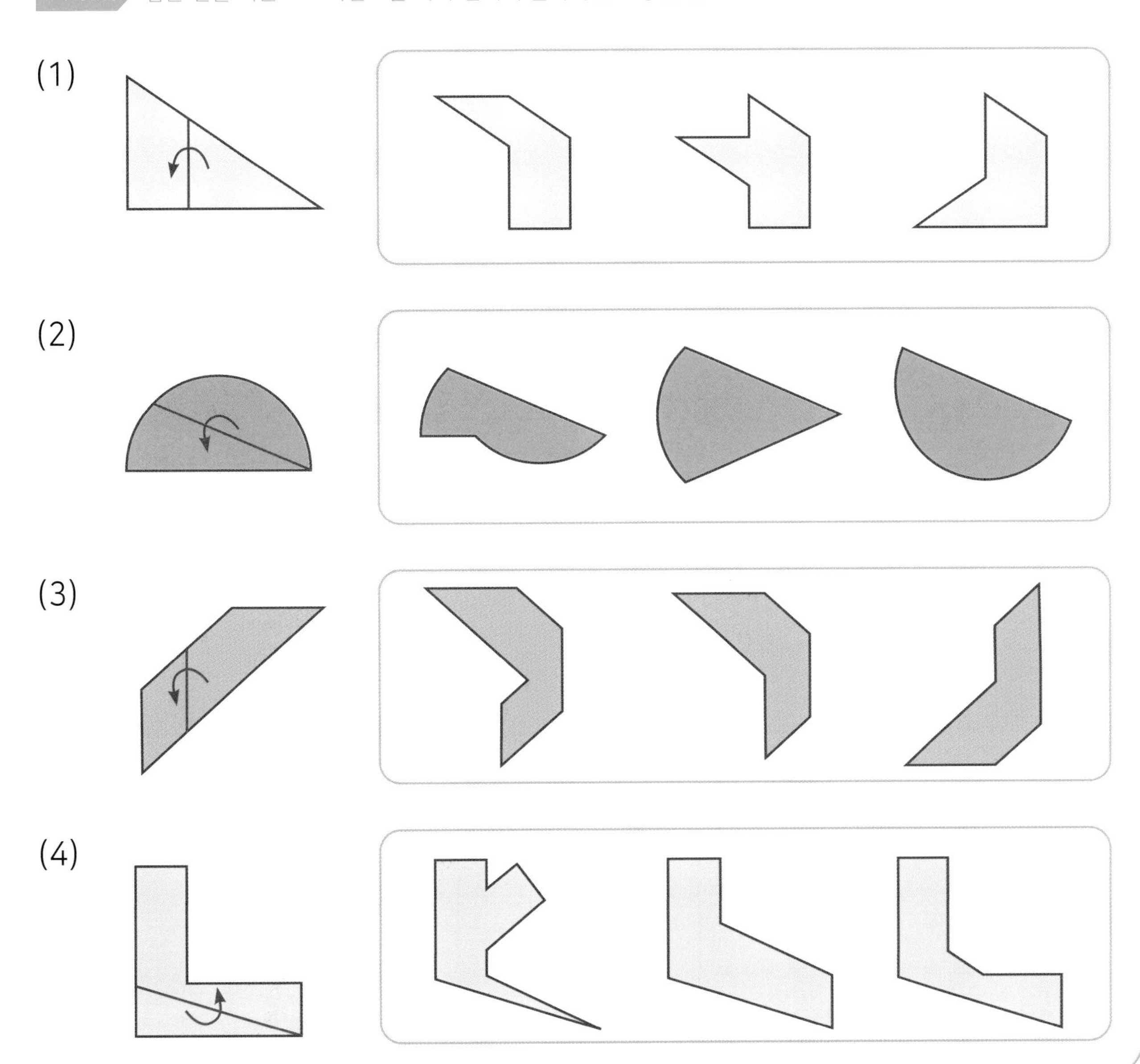

2 겹쳐진 부분의 모양과 개수

연습

01 오른쪽 모양은 왼쪽 모양의 종이에 선을 그어 접은 모양입니다. 접은 모양이 나오도록 왼쪽 모양 안에 올바르게 접는 선을 그어 보시오.

(1)

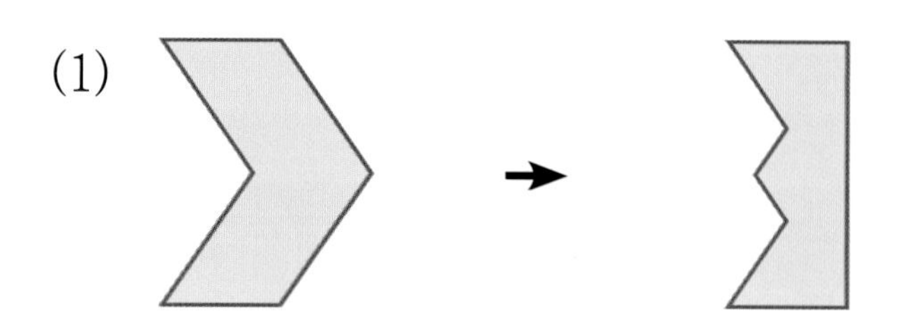

(2)

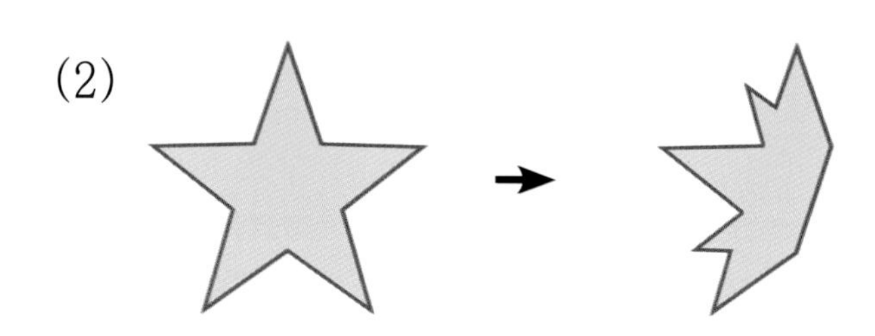

연습

02 한 번만 접어서 접은 모양을 만들 수 있는 종이는 모두 몇 개인지 구하시오.

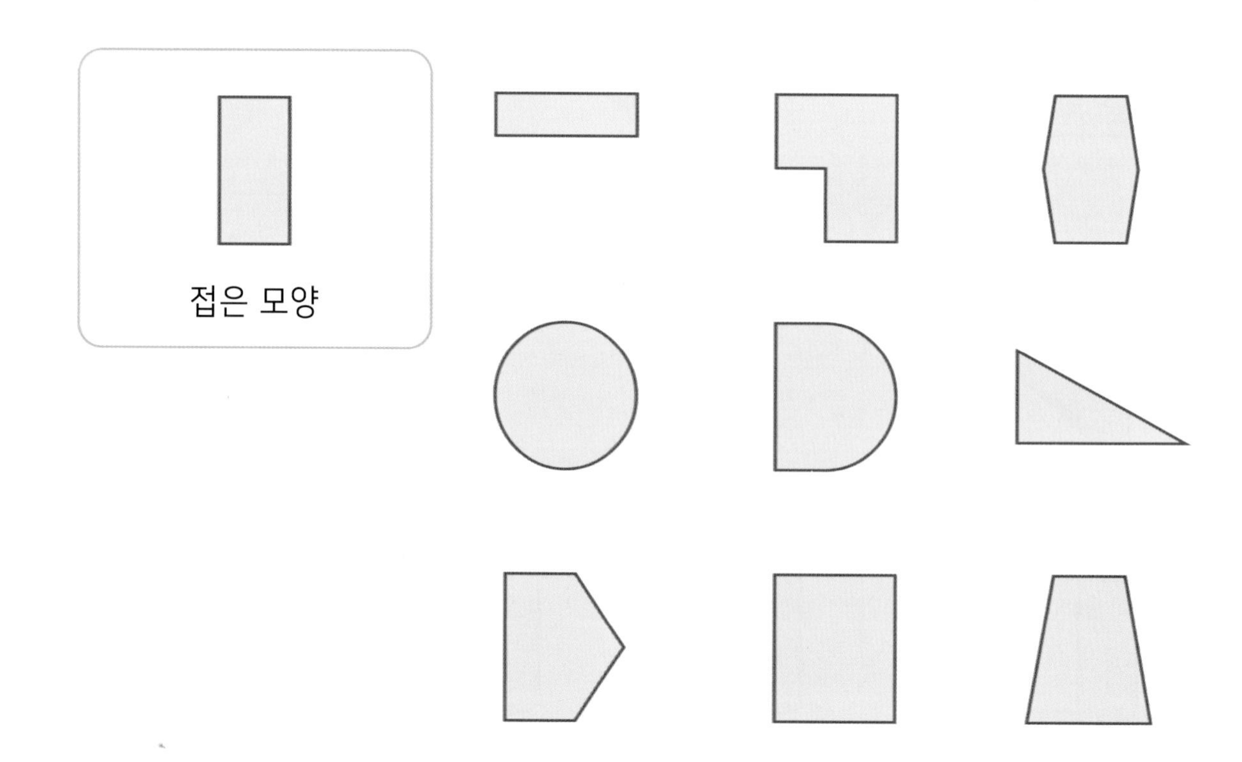

탐구 유형 2-2 겹쳐진 부분의 모양

보기 와 같이 주어진 두 모양을 돌리거나 뒤집지 않고 그대로 옮겨 겹쳤을 때 겹쳐진 부분에 맞도록 겹친 두 모양을 같이 그리시오.

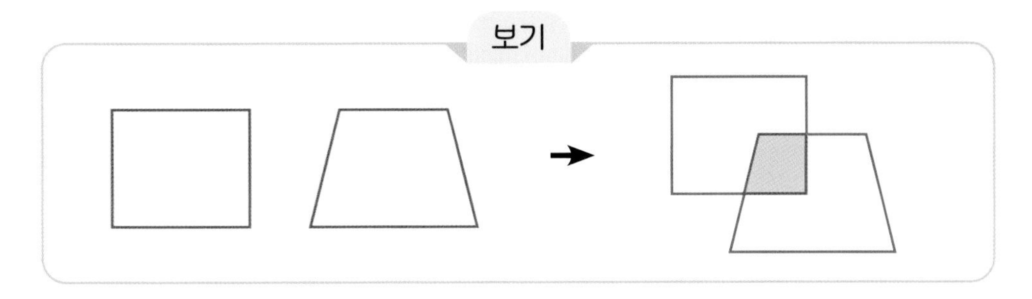

• Point 겹쳐진 부분이 각각 두 모양의 일부분이 되어야 합니다.

(1)
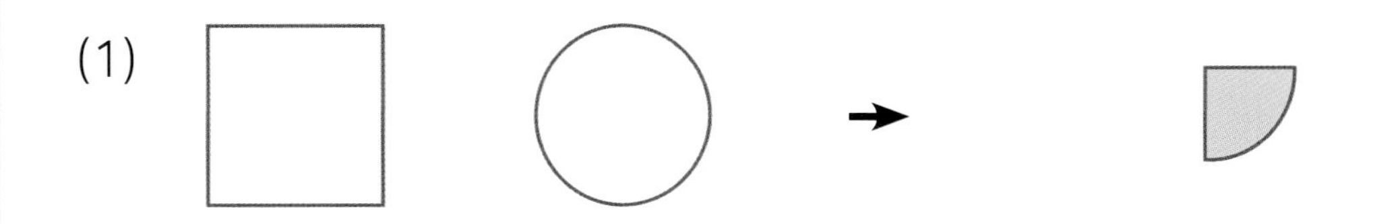

(2)
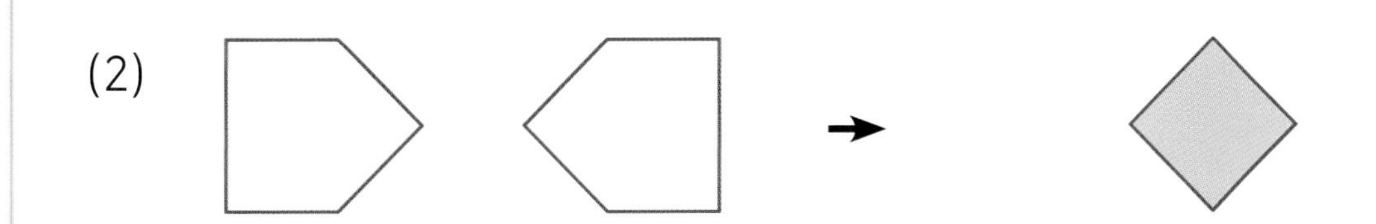

(3)
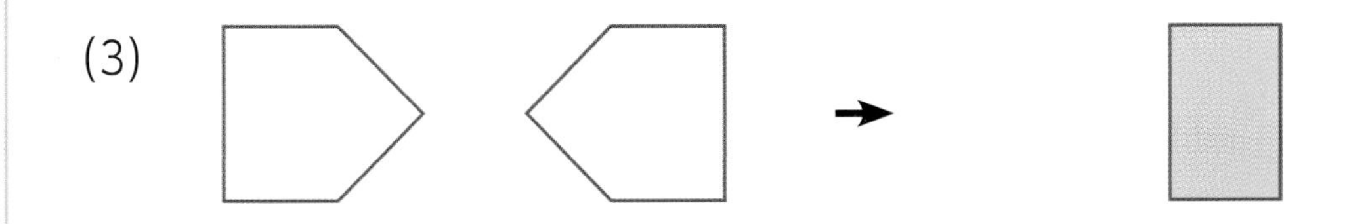

(4)
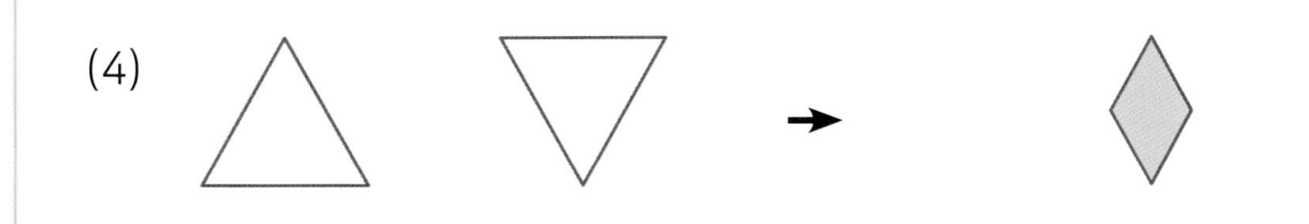

(5)
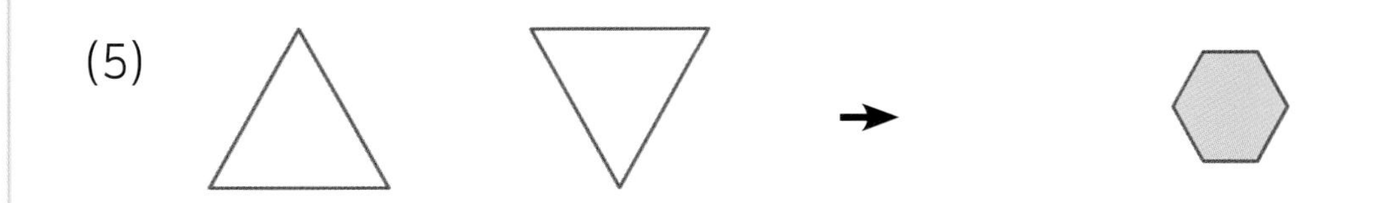

2 겹쳐진 부분의 모양과 개수

연습 01 두 모양을 돌리거나 뒤집지 않고 그대로 옮겨 겹쳤을 때, 겹쳐진 부분의 모양이 될 수 있는 것에 모두 ○표 하시오.

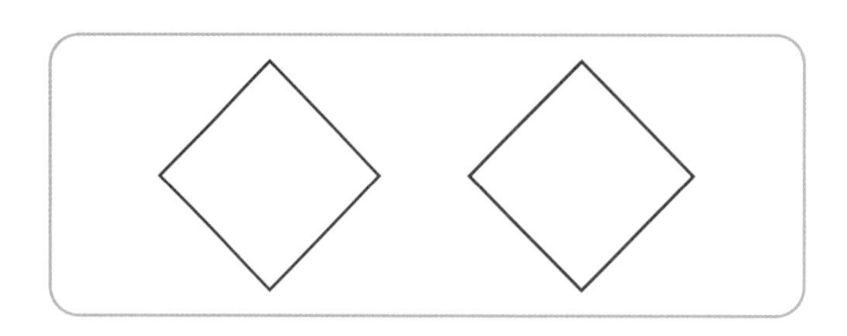

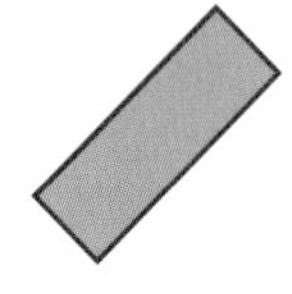  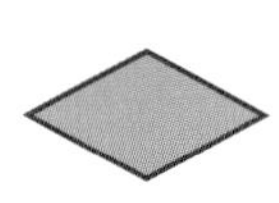  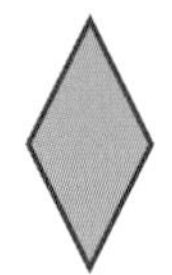 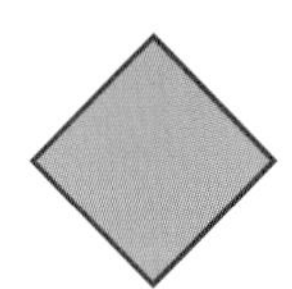

연습 02 겹쳐진 부분의 모양을 보고 겹친 두 개의 모양을 골라 번호를 쓰시오.

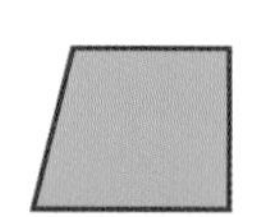

겹쳐진 부분의 모양

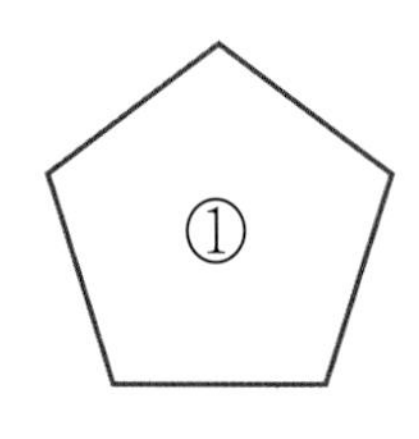

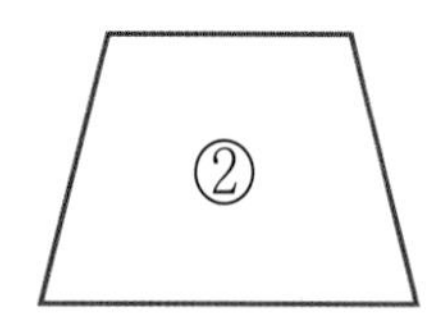

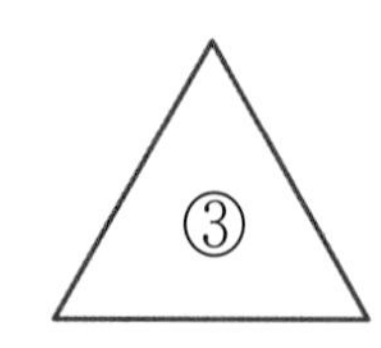

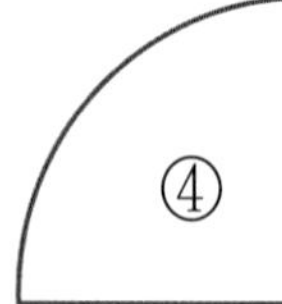

탐구 유형 2-3 겹쳐서 나누기

크기가 같은 네모 모양 2개를 겹쳐 놓으면 1, 2, 3의 세 부분으로 나누어집니다. 네모 모양 2개를 가장 많이 나누도록 겹치면 몇 부분으로 나누어지는지 구하시오.

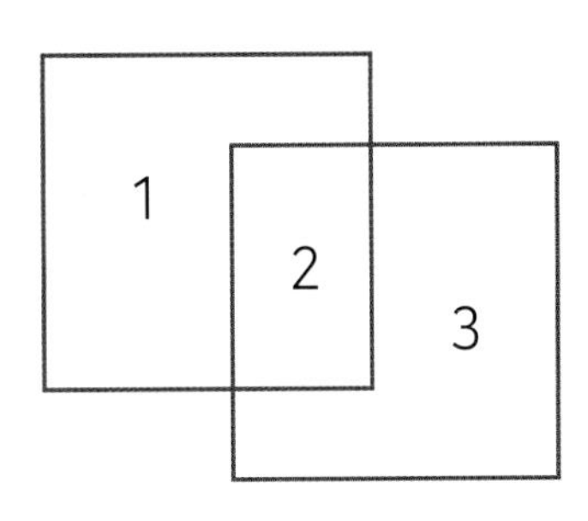

• Point 하나의 모양을 그대로 두고 다른 모양을 돌리면서 겹친 모양을 그려 봅니다.

1 크기가 같은 동그라미 3개를 겹쳐서 나눠진 부분이 주어진 개수가 되도록 하는 겹쳐진 모양을 그리시오.

두 투명 종이의 모든 칸을 겹치는 방법은 두 가지가 있습니다.

01 두 투명 종이를 겹쳐서 색칠된 칸이 가장 적을 때 색칠된 칸의 개수를 구하시오. 단, 두 투명 종이 모두 뒤집지 않고 모든 칸을 겹쳐야 합니다.

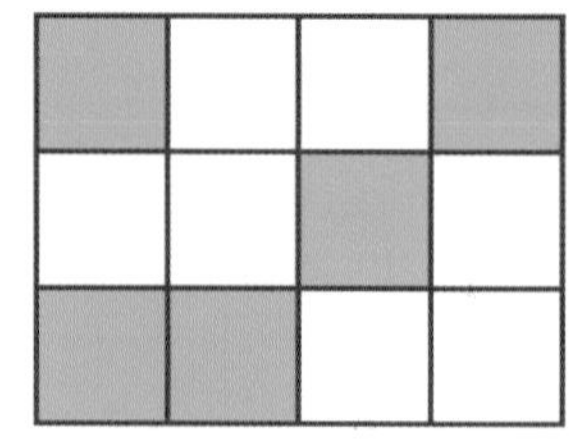
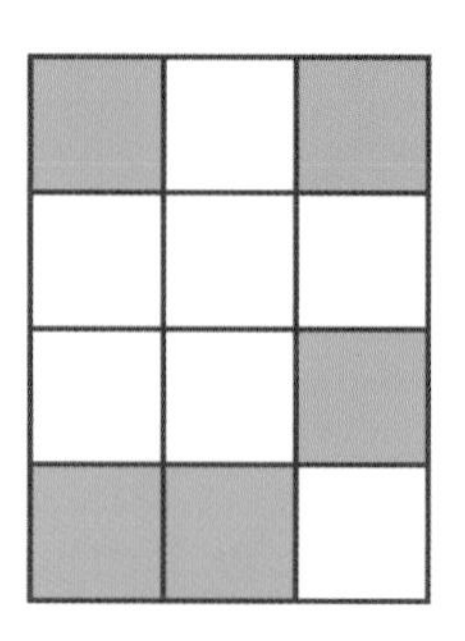

점의 모양을 보고 돌린 모양을 생각해 봅니다.

02 두 투명 종이에 그려진 ● 모양을 하나로 겹치도록 하면 세모 모양 안은 몇 개의 부분으로 나눠지는지 구하시오. 단, 두 투명 종이 모두 뒤집지 않습니다.

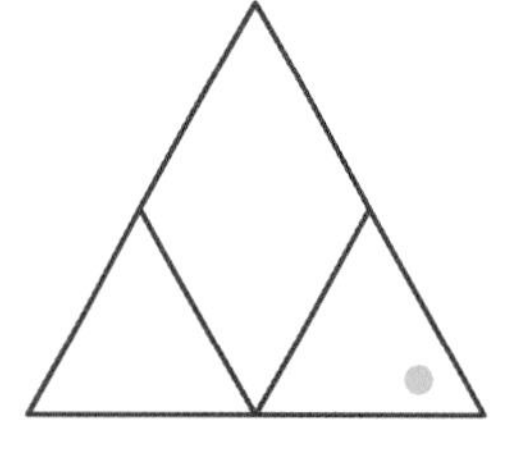
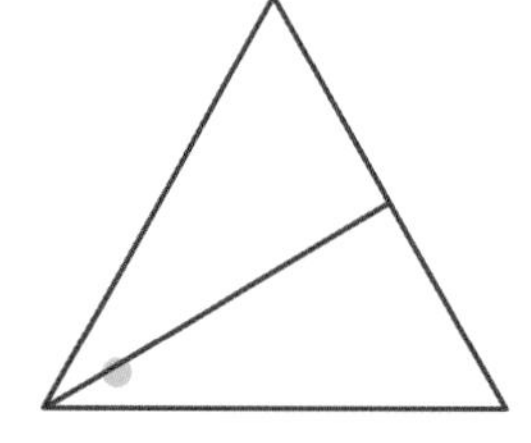

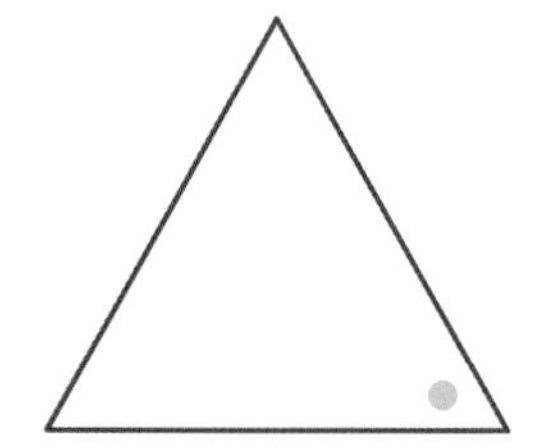

접는 선

03 같은 네모 모양 3개를 돌리지 않고 겹쳤을 때, 나누어지는 부분의 개수가 가장 많을 때는 몇 부분이 되는지 구하시오.

모양 하나는 그대로 놔두고 나머지 하나를 어떻게 겹치면 될지 그려 봅니다.

TOP of TOP

04 두 모양을 그대로 옮겨 겹쳤을 때 만들 수 있는 모양의 개수를 쓰시오.

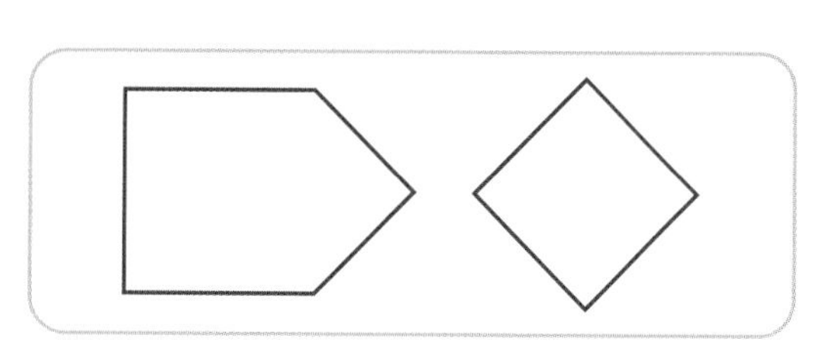

  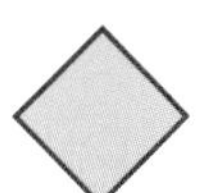  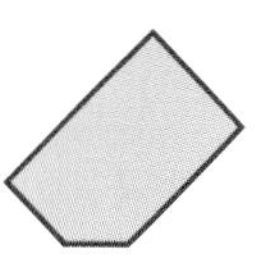

모양은 그대로 놔두고 모양을 옮기면서 겹쳐진 모양을 찾습니다.

접는 선

TOP 사고력 수학

4. 모양의 개수

동영상

생각열기 뚫린 구멍의 개수

탐구주제 1. 종이 접어 자르기

1-1. 색종이 접어 자르기 / 접는 방향과 모양의 개수

1-2. 여러 가지 모양 접어 자르기 / 종이 접어 자르기

동영상

2. 선 그려 자르기

2-1. 개수대로 자르기 / 개수대로 자르는 선

2-2. 많은 조각 만들기 / 더 많은 조각으로 나누는 선

TOP 사고력 3. 크고 작은 모양의 개수

3-1. 네모 모양의 개수 / 크고 작은 네모 모양의 개수

3-2. 세모 모양의 개수 / 크고 작은 세모 모양의 개수

생각열기

뚫린 구멍의 개수

색종이를 한 번 접은 다음 그 위에 구멍을 뚫었습니다. 색종이를 다시 펼쳤을 때, ○ 모양의 구멍은 몇 개가 되는지 알아보려고 합니다.

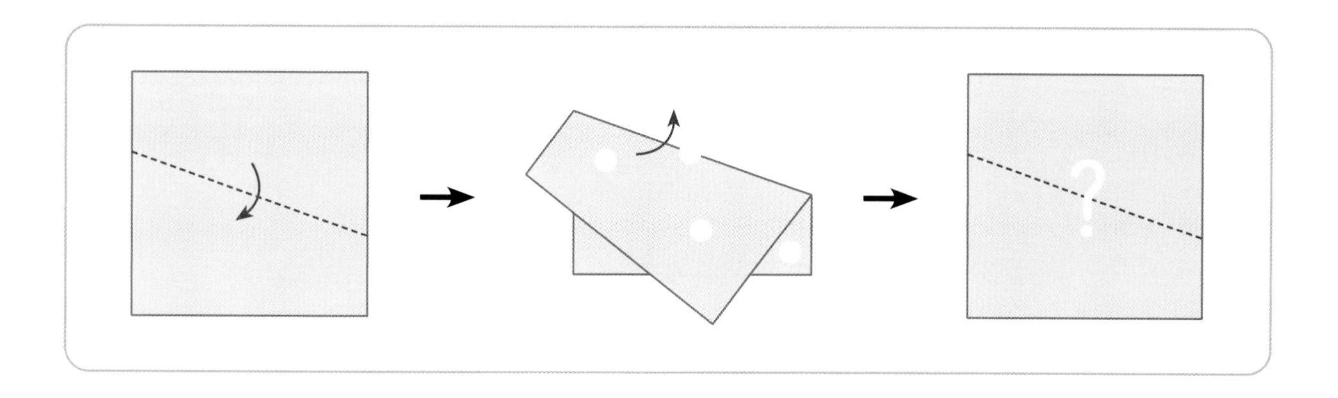

구멍이 모두 4개인데 펼치면 접은 선 반대쪽에도 구멍이 생기니까 모두 8개가 되겠네요.

접는 선 위에 뚫린 ○ 반쪽 모양은 펼치면 ○ 모양 하나로 될 것 같은데? 모두 7개 아닌가요?

누구 말이 맞는지는 실제로 그려 봐야 알 수 있겠지?

펼쳤을 때, 접는 선 반대편에 생기는 ○ 모양의 위치를 직접 그려 보시오. ○ 모양은 모두 몇 개가 됩니까?

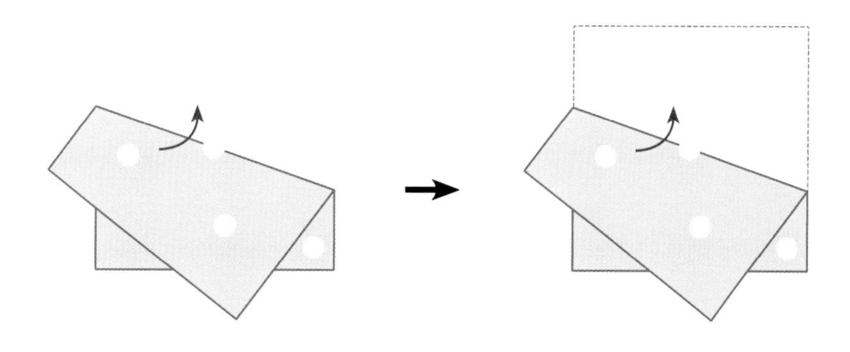

색종이를 펼쳤을 때 구멍의 위치는 접는 선을 기준으로 같은 거리에 있어. 그림과 같이 접는 선에 선을 그어서 반대쪽 같은 거리에 있는 구멍의 위치를 찾을 수 있어.

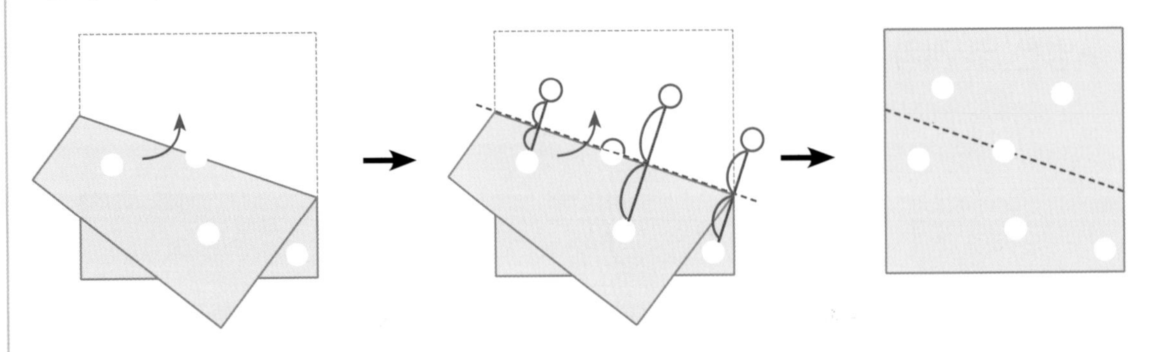

접는 선을 기준으로 반대쪽의 같은 거리에 구멍이 생깁니다.

그림으로 그려서 위치를 찾아 보면 접는 선 반대쪽은 뚫리지 않는 구멍이 1개 있기 때문에 색종이에는 모두 6개의 구멍이 생기게 돼.

색종이를 접어서 구멍을 뚫으려고 합니다. 색종이를 펼쳤을 때, 접는 선 반대쪽에 생기는 구멍을 ○로 그리시오.

(1)

(2)

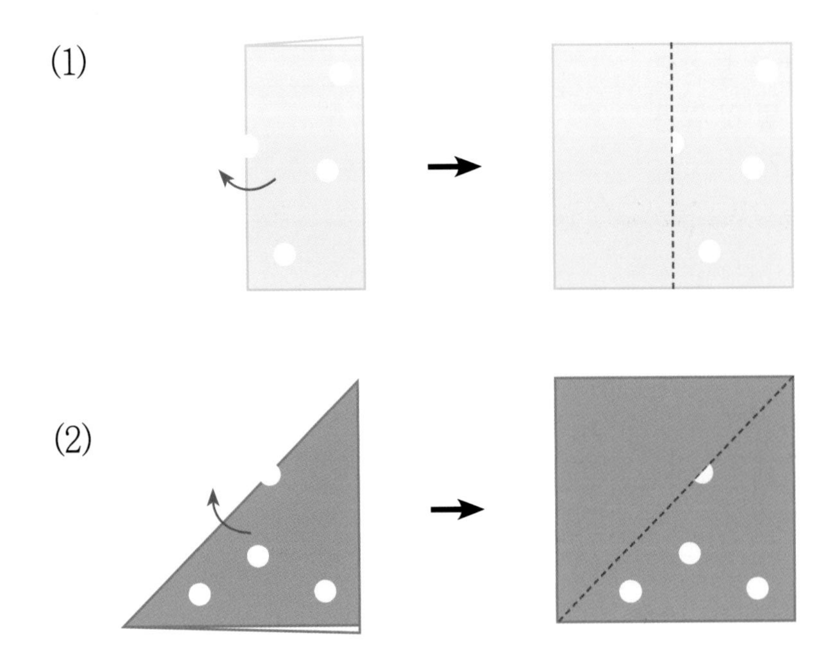

보기 와 같이 색종이를 화살표 방향으로 접은 다음 ●에 구멍을 뚫고 다시 펼쳤을 때, 생기는 구멍을 ○로 모두 그리시오.

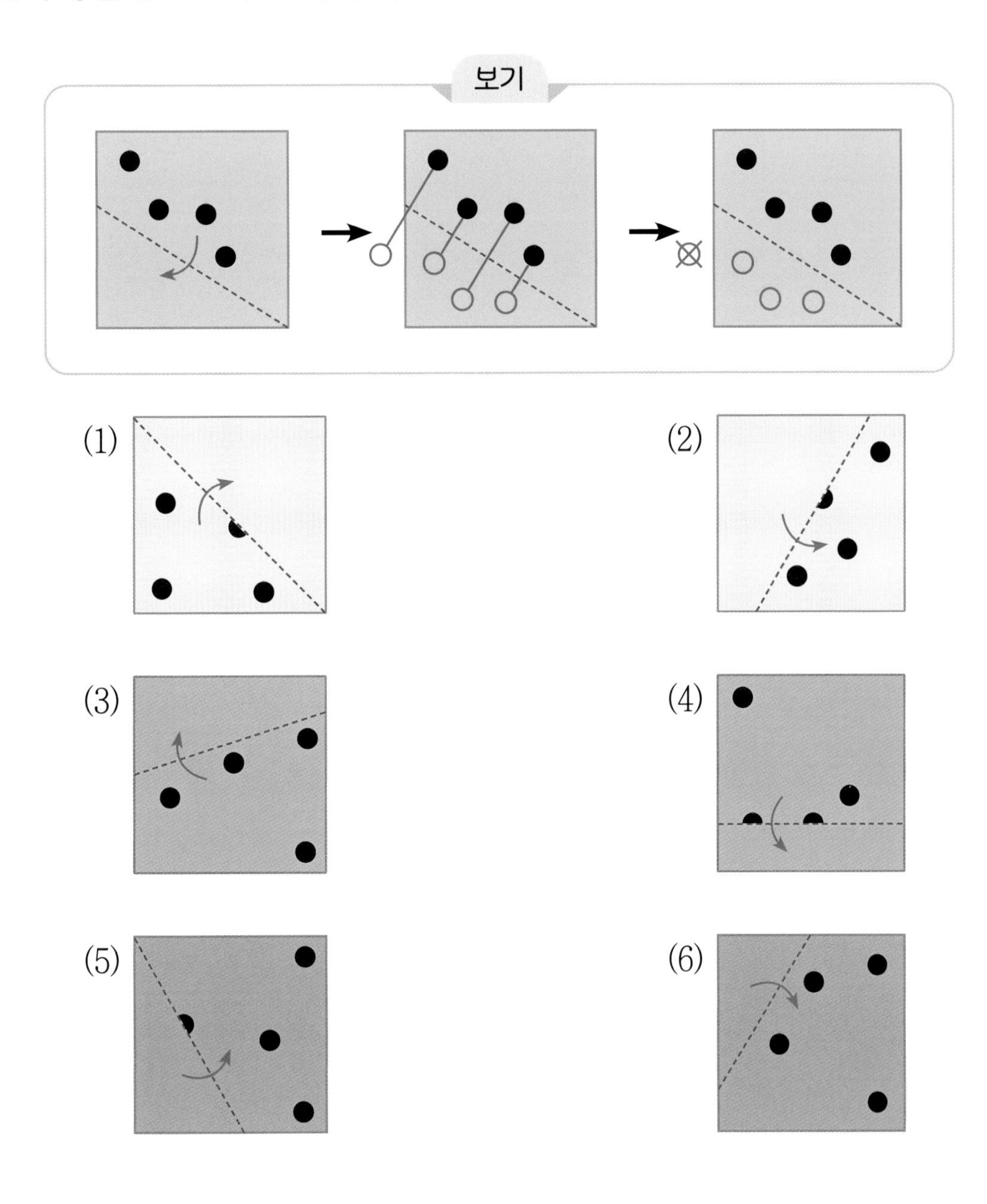

종이를 접었을 때, 반대쪽 종이 밖으로 나가는 구멍은 반대쪽에 구멍이 뚫리지 않아.

1 종이 접어 자르기

탐구 유형 1-1 색종이 접어 자르기

다음과 같이 두 색종이를 반으로 접은 다음 선을 따라 똑같이 잘랐을 때, 두 색종이에서 나누어지는 조각의 개수의 차를 구하시오.

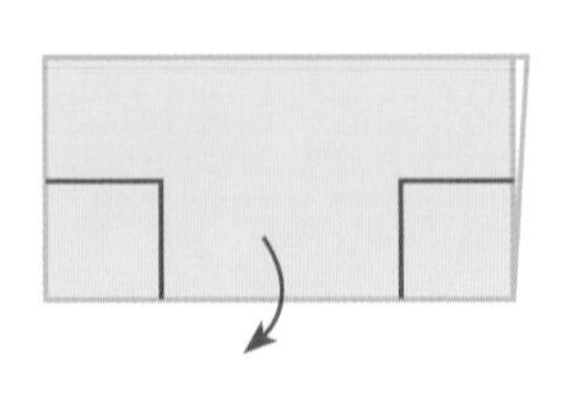

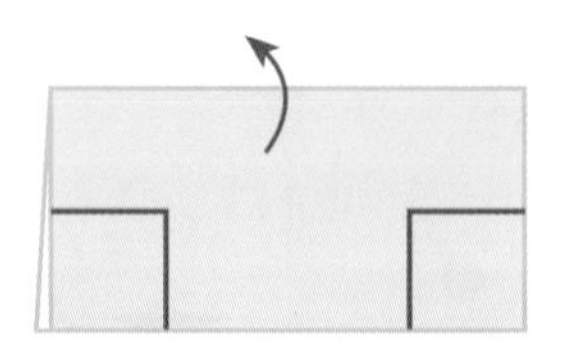

• Point 두 색종이를 펼쳤을 때 잘라지는 선을 각각 그려봅니다.

(1) 두 색종이를 펼쳤을 때, 각각 잘라지는 선을 그리시오.

(2) 두 색종이에서 나누어지는 조각 개수의 차를 구하시오.

연습

01 색종이를 반으로 접었다 펼쳤을 때 잘라지는 선을 그리고 색종이는 모두 몇 조각으로 나누어지는지 구하시오.

(1)

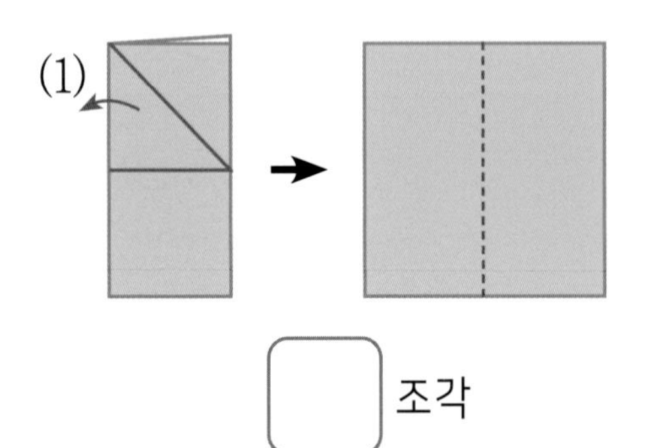

☐ 조각

(2)

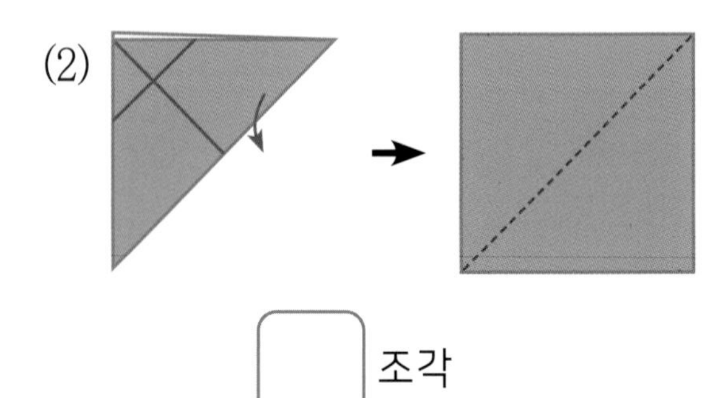

☐ 조각

연습

02 색종이를 반으로 접은 다음 선을 따라 잘랐을 때, 잘라지는 조각의 개수가 다른 하나에 ○표 하시오.

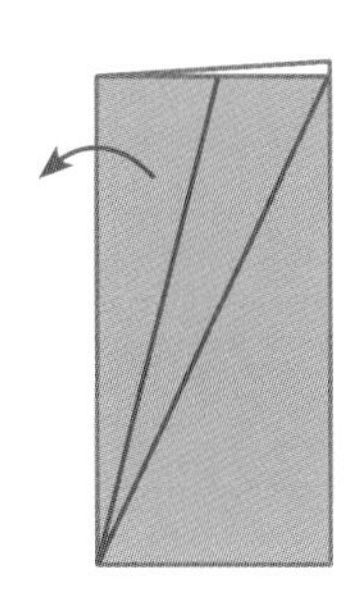 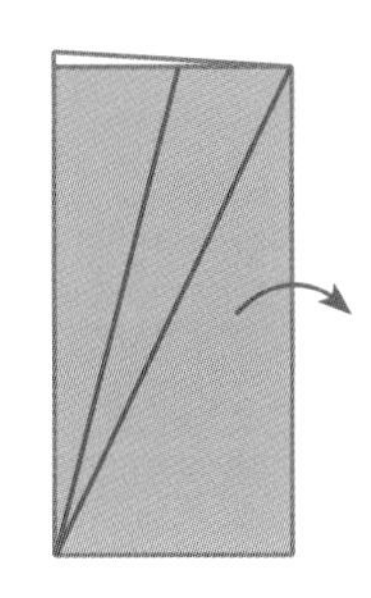 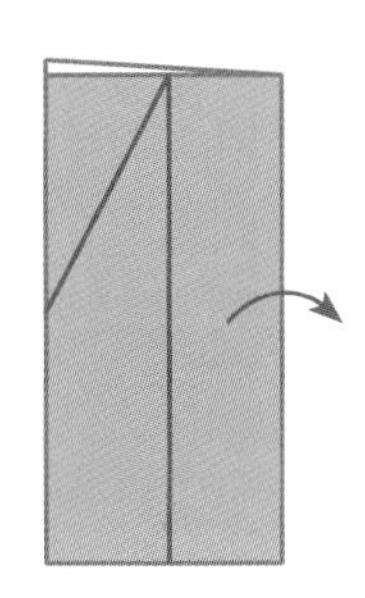 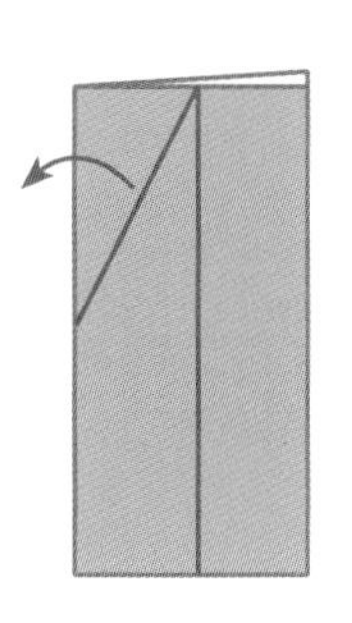

연습

03 색종이를 반으로 접은 다음 선을 따라 잘랐을 때, 두 색종이에서 나누어지는 조각의 합을 쓰시오.

(1)

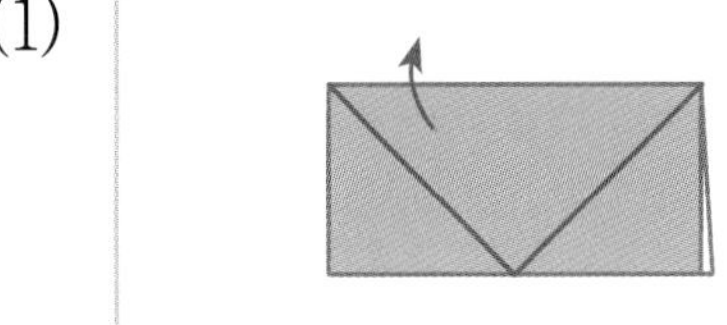 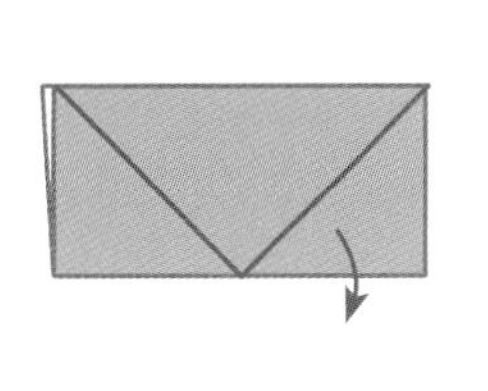 

(2)

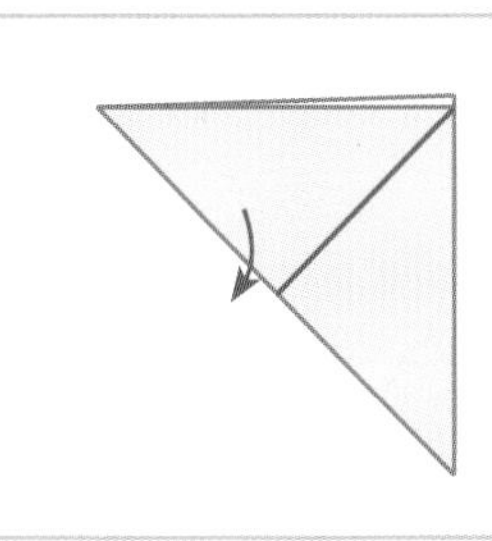 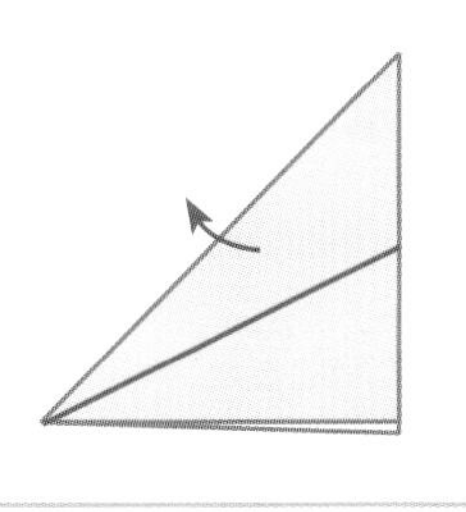 

1 종이 접어 자르기

탐구 유형 1-2 여러 가지 모양 접어 자르기

세모 모양의 종이를 한 번 접은 다음 선을 따라 잘랐을 때, 나누어지는 조각의 개수를 구하시오.

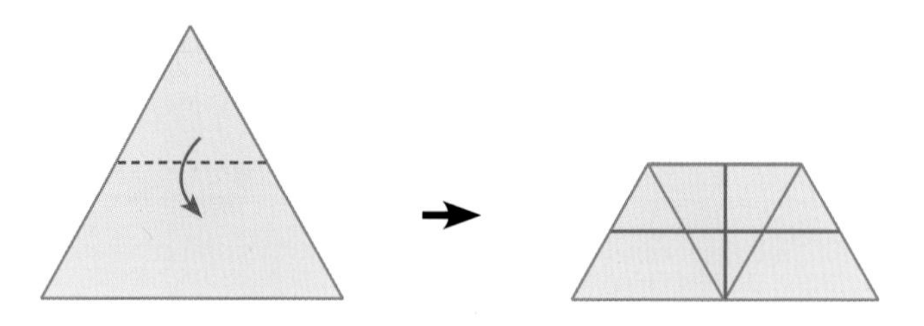

• Point 종이를 펼쳤을 때, 잘라지는 선을 그린 다음 나눠지는 조각의 개수를 세어 봅니다.

(1) 종이를 펼쳤을 때, 잘라지는 선을 그리시오.

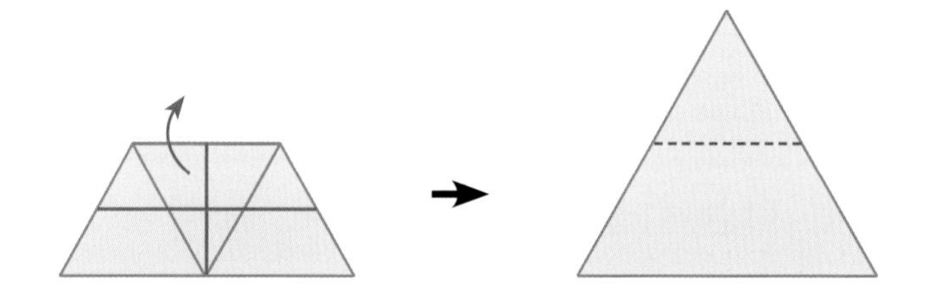

(2) 종이를 잘랐을 때, 나누어지는 조각의 개수를 구하시오.

연습 01 종이를 한 번 접은 다음 선을 따라 잘랐을 때, 나누어지는 조각의 개수를 구하시오.

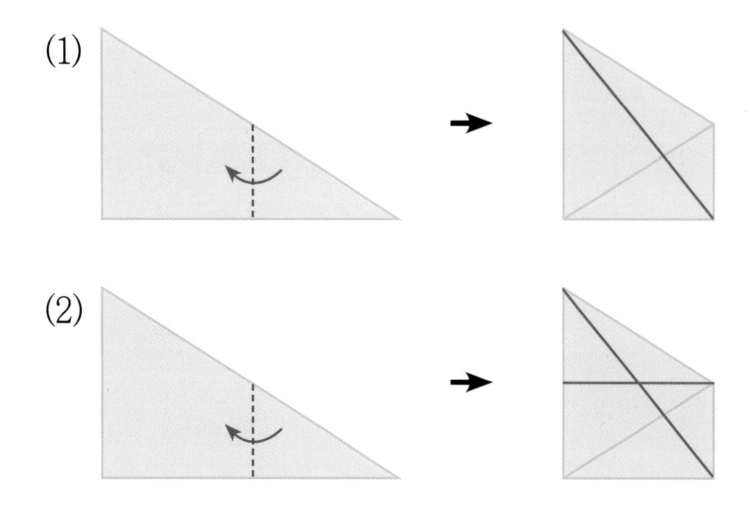

02 종이를 한 번 접은 다음 선을 따라 잘랐을 때, 나누어지는 조각의 개수를 구하시오.

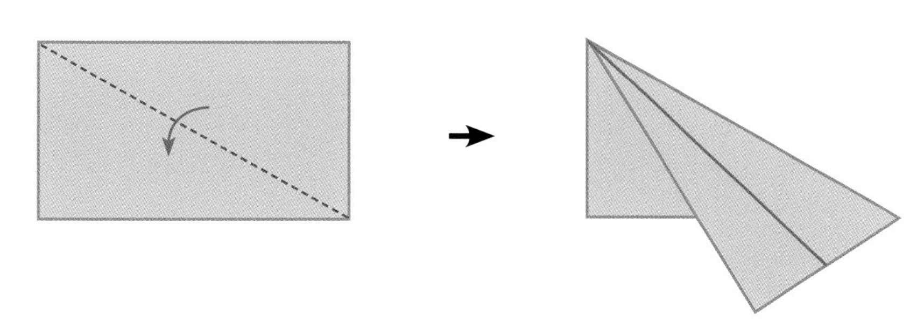

03 종이를 각각 반으로 접은 다음 선을 따라 잘랐을 때, 나누어지는 조각이 가장 적은 것의 기호를 쓰시오.

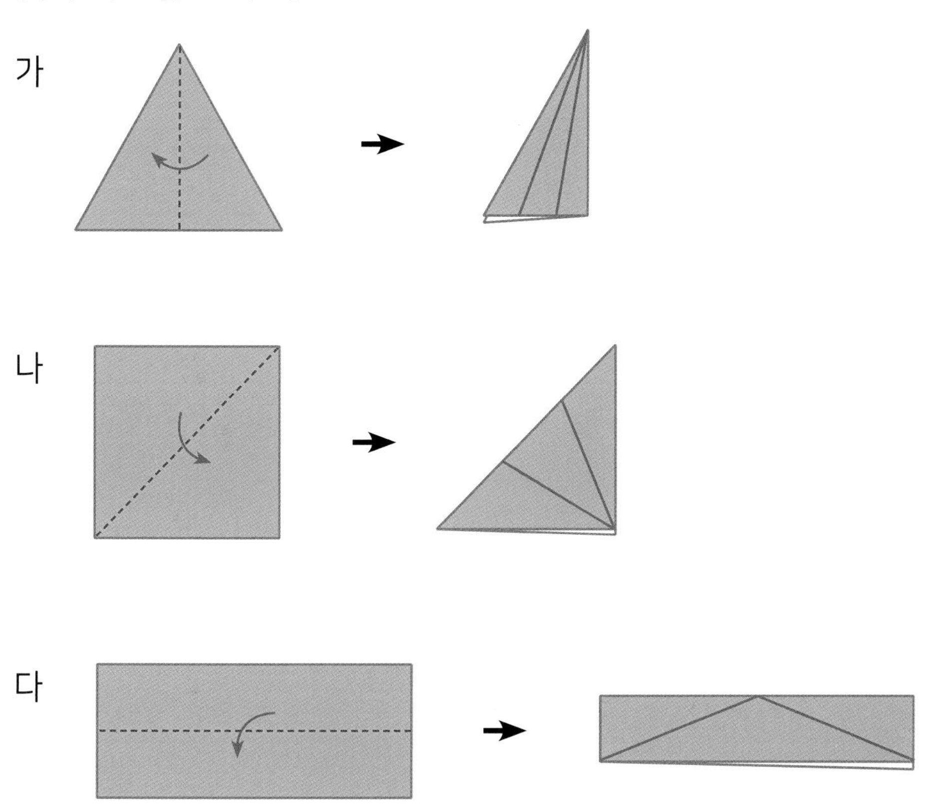

선 그려 자르기

탐구 유형 2-1 개수대로 자르기

선을 따라 동그라미 모양의 종이를 잘랐을 때, 주어진 조각의 수로 나누어지도록 자르는 선을 2개씩 그리시오.

3조각

4조각

• Point 선을 하나씩 그리면서 생각해 봅니다.

연습

01 다음은 색종이에 선을 2개 그은 것입니다. 선을 따라 잘랐을 때, 6조각으로 나누어지도록 선을 1개 더 그리시오.

2 선을 따라 세모 모양의 종이를 잘랐을 때, 조각의 수가 되도록 자르는 선을 3개씩 그리시오.

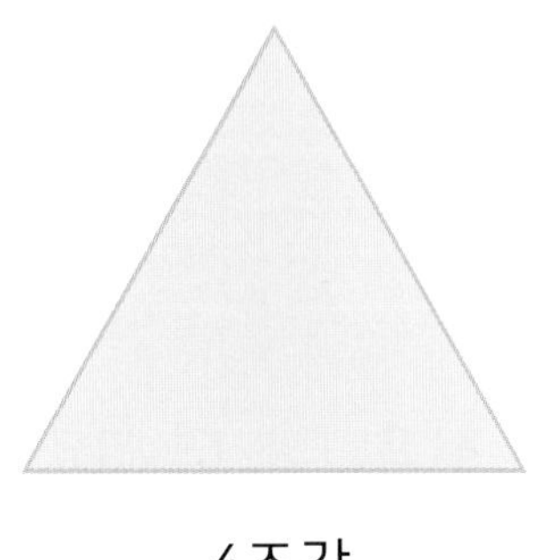

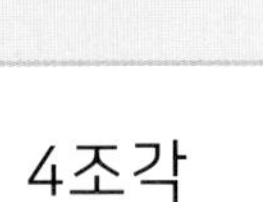

4조각

5조각

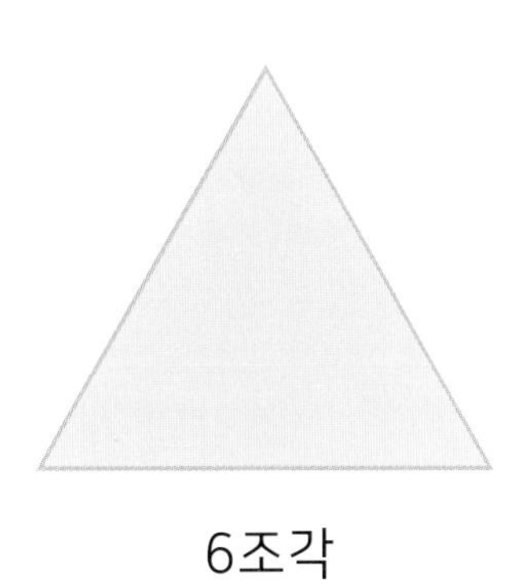

6조각

3 색종이를 잘라 도넛 모양을 만들었습니다. 선을 따라 자르면 두 조각으로 나누어집니다. 여기에 선을 1개 더 그려서 다섯 조각으로 나누시오.

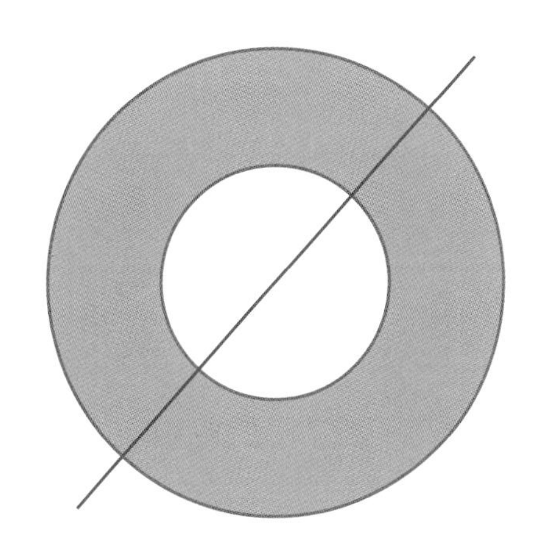

탐구주제 2 선 그려 자르기

탐구 유형 2-2 많은 조각 만들기

오른쪽 그림과 같이 동그라미 모양의 종이에 선을 4개 그리고 선을 따라 자르면 8조각으로 나누어집니다.

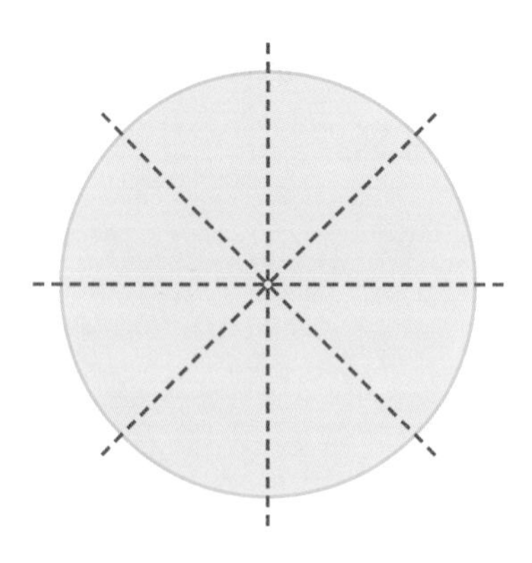

종이가 가장 많은 조각으로 나누어지도록 자르는 선을 1개 더 그리고, 나누어지는 조각의 개수를 구하시오.

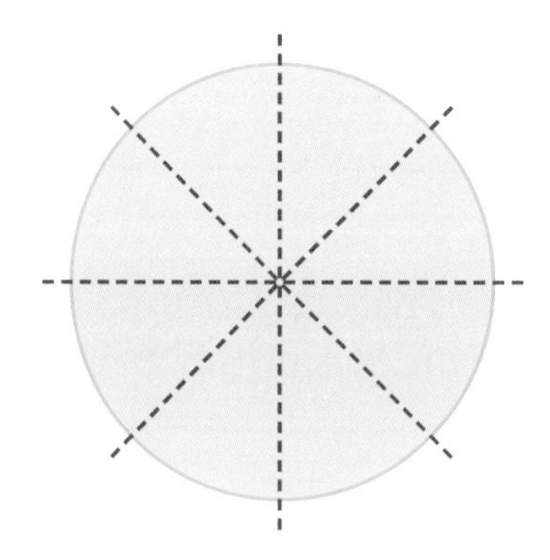

조각의 개수 - ☐ 개

• Point 자르는 선이 서로 많이 만날수록 조각의 개수가 많아집니다.

연습 01 색종이에 선을 3개 그리고 선을 따라 자르려고 합니다. 나누어지는 조각의 개수가 가장 많도록 자르는 선을 그리고, 조각의 개수를 구하시오.

조각의 개수 - ☐ 개

3 크고 작은 모양의 개수

다음 모양에서 선을 따라 그릴 수 있는 크고 작은 네모 모양은 모두 몇 개인지 알아보려고 합니다.

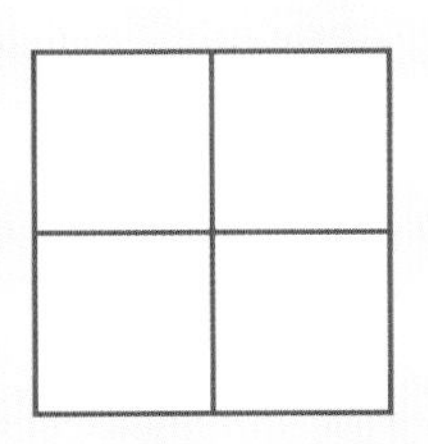

오른쪽처럼 색칠한 제일 작은 네모 4개를 그릴 수 있어.

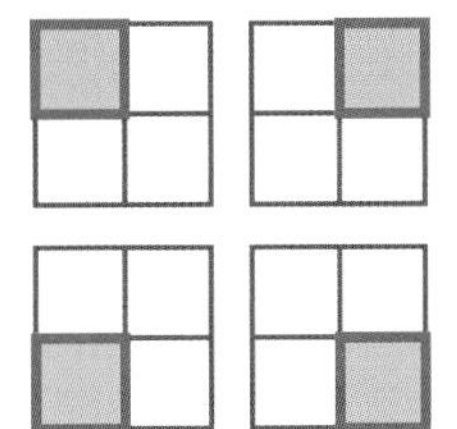

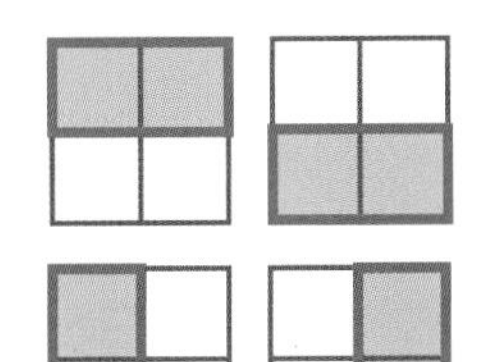

난 더 찾았는데… □ 모양 2개를 붙여놓은 모양의 네모를 그릴 수 있어. 이것도 4개가 있네.

□ 모양 4개를 붙여 놓은 큰 네모도 그릴 수 있지. 지금과 같이 네모를 붙인 개수에 따라 각각 세어 봐야 해.

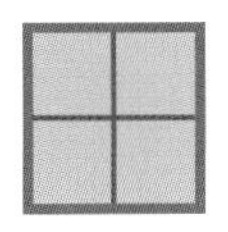

다음 모양에서 선을 따라 그릴 수 있는 크고 작은 세모 모양은 모두 몇 개인지 구하시오.

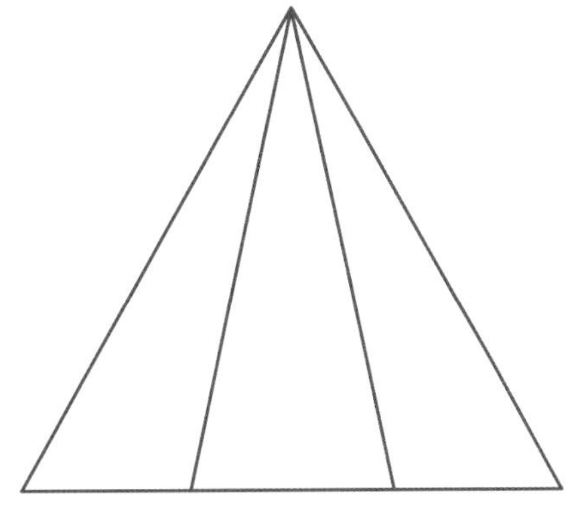

탐구주제

3 크고 작은 모양의 개수

탐구 유형 3-1 네모 모양의 개수

그림의 선을 따라 그릴 수 있는 크고 작은 네모 모양의 개수를 구하시오.

• Point 모양의 크기를 나누어서 세어 봅니다.

(1) 선을 따라 그릴 수 있는 서로 다른 크기의 네모 모양을 모두 그리시오.

㉠ ㉡

㉢ ㉣

㉤

(2) 기호에 따라 같은 크기로 그릴 수 있는 네모 모양의 개수를 각각 구하시오.

㉠ : ☐ 개　㉡ : ☐ 개　㉢ : ☐ 개

㉣ : ☐ 개　㉤ : ☐ 개

(3) 그릴 수 있는 크고 작은 네모 모양은 모두 몇 개인지 구하시오.

01 성냥개비로 만든 모양에서 찾을 수 있는 크고 작은 네모 모양은 모두 몇 개인지 구하시오.

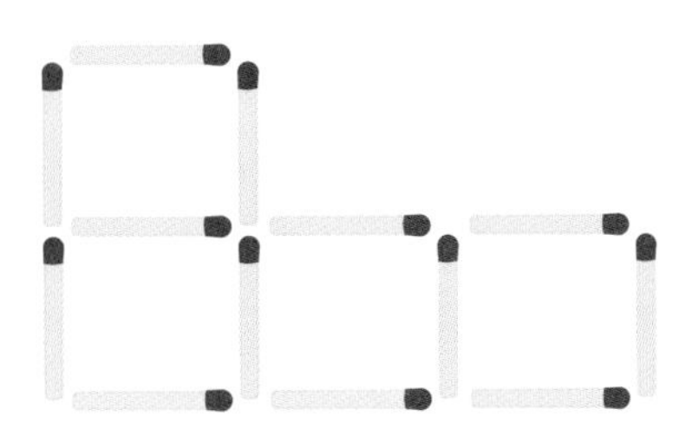

02 선을 따라 그릴 수 있는 크고 작은 네모 모양의 개수를 구하시오.

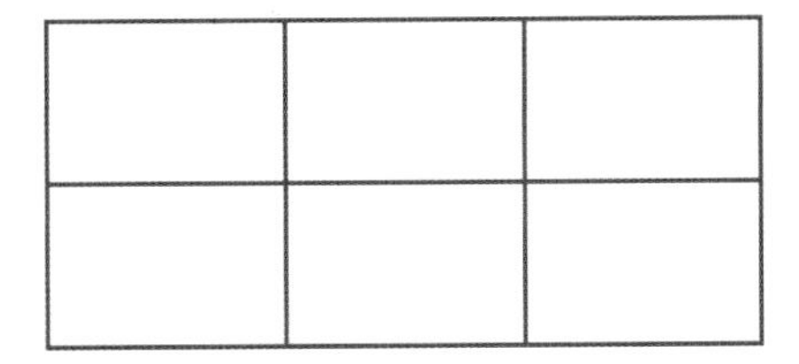

탐구 유형 3-2 **세모 모양의 개수**

선을 따라 그릴 수 있는 크고 작은 세모 모양의 개수를 구하시오.

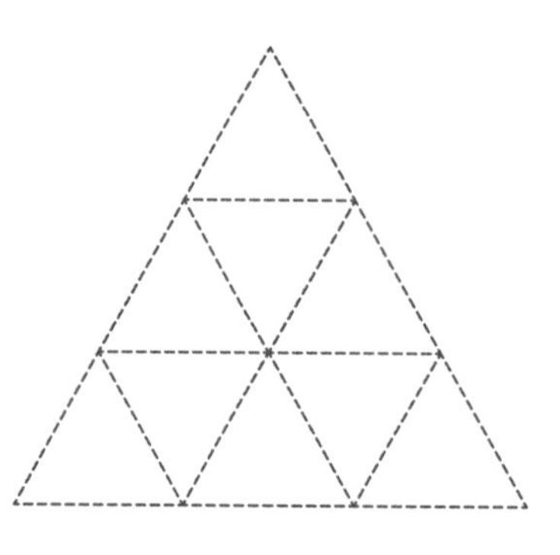

• Point 모양의 크기를 나누어서 세어 봅니다.

(1) 선을 따라 그릴 수 있는 서로 다른 크기의 세모 모양을 모두 그리시오.

㉠
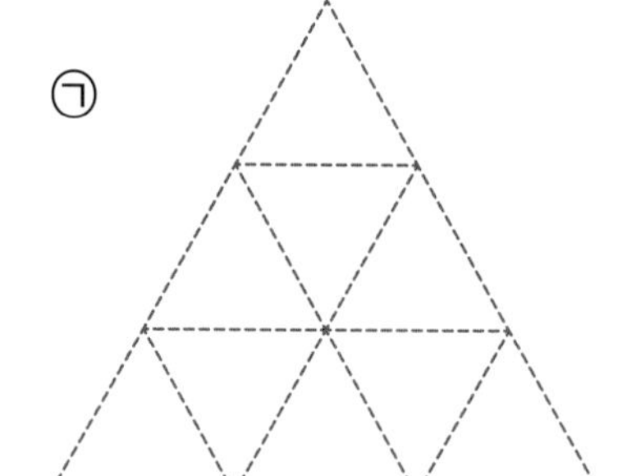

㉡
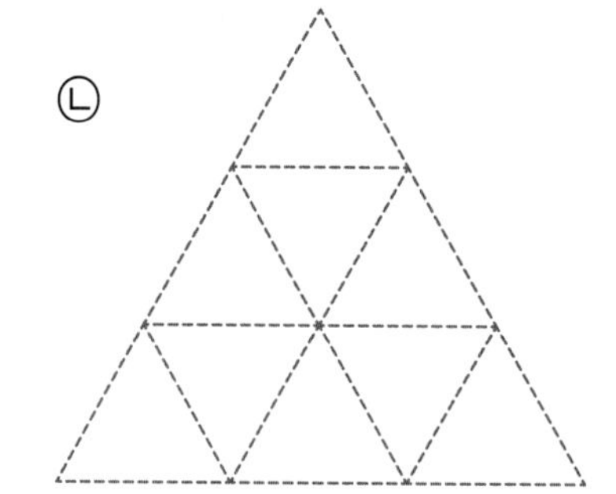

㉢
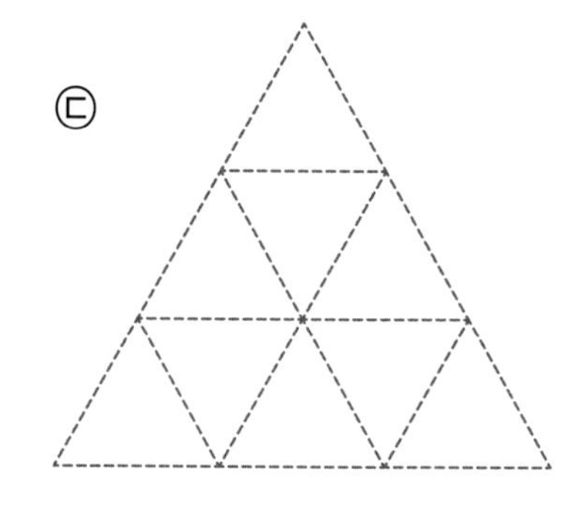

(2) 기호에 따라 같은 크기로 그릴 수 있는 세모 모양의 개수를 각각 구하시오.

㉠ : ☐ 개　　㉡ : ☐ 개　　㉢ : ☐ 개

(3) 그릴 수 있는 크고 작은 세모 모양은 모두 몇 개인지 구하시오.

01 그림의 선을 따라 그릴 수 있는 크고 작은 세모 모양은 모두 몇 개인지 구하시오.

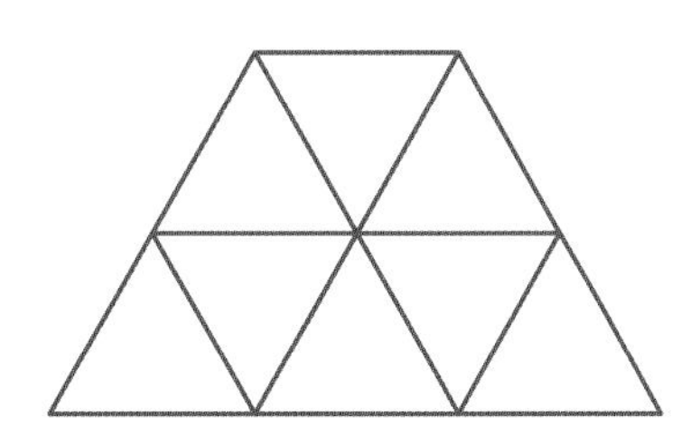

02 성냥개비로 만든 모양에서 찾을 수 있는 크고 작은 세모 모양은 모두 몇 개인지 구하시오.

선을 그었을 때, 양쪽의 점들이 접는 선을 기준으로 각각 같은 거리에 있어야 합니다.

01 색종이를 접은 다음 구멍 4개를 뚫고 펼쳤을 때, 구멍이 생긴 자리를 ○로 나타내었습니다. 이때, 접은 선을 그리시오.

선 2개가 최대한 많이 ㄷ모양과 겹치도록 해야 합니다.

02 그림과 같이 'ㄷ'모양을 선을 따라 자르면 3조각으로 나누어집니다.

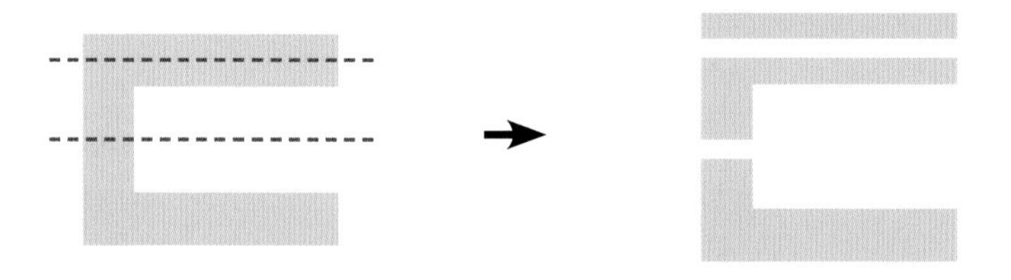

글자가 가장 많이 나누어지도록 자르는 선을 2개 그리고, 나누어지는 조각의 개수를 구하시오.

조각의 개수 - [ ] 개

접는 선

03 다음 그림의 선을 따라 그릴 수 있는 크고 작은 세모 모양은 모두 몇 개인지 구하시오.

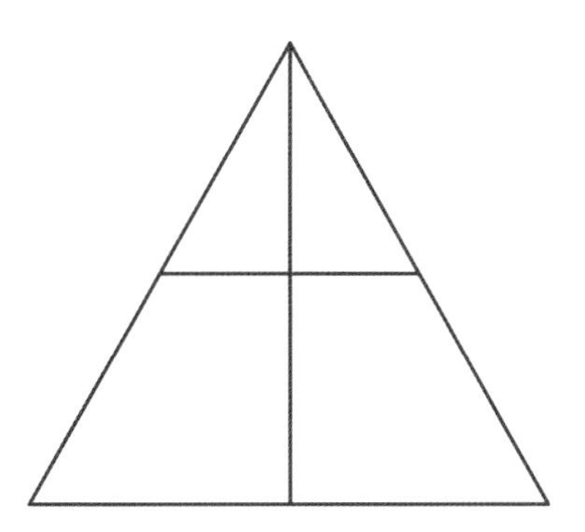

윗쪽의 작은 삼각형과 윗쪽과 아래쪽을 포함한 큰 삼각형으로 나누어 세어 봅니다.

TOP of TOP

04 다음 그림의 선을 따라 그릴 수 있는 크고 작은 세모 모양은 모두 몇 개인지 구하시오.

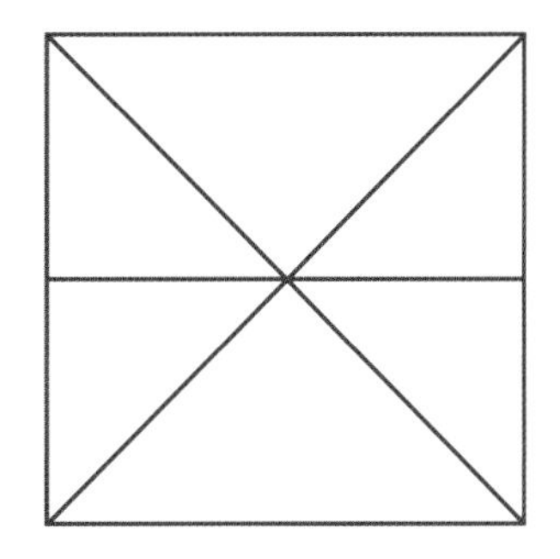

세모가 하나일 때, 두 개가 합쳐진 세모일 때, 세 개가 합쳐진 세모일 때를 구분해서 세어 봅니다.

접는 선

TOP 사고력 쑥쑥

학습주제를 시작할 때 학습 날짜를 기록하면서 전체 학습 진도 상황을 체크해 보세요.

A3	단원	학습 주제	학습 날짜
수	1. 수의 크기	1-1. 숫자 카드로 수 만들기	월/ 일
		1-2. 크기를 만족하는 수	월/ 일
	2. 조건에 맞는 수	2-1. 조건에 맞는 수	월/ 일
		2-2. 수 수수께끼	월/ 일
평면	3. 모양 겹치기	3-1. 모양 겹치기	월/ 일
		3-2. 겹쳐진 부분의 모양과 개수	월/ 일
	4. 모양의 개수	4-1. 종이 접어 자르기	월/ 일
		4-2. 선 그려 자르기	월/ 일
		4-3. 크고 작은 모양의 개수	월/ 일

1. 수의 크기

1-1. 숫자 카드로 수 만들기 | 01~10

01 다음 숫자 카드로 만들 수 있는 두 자리 수 중에서 가장 큰 수를 쓰시오.

1 4 6 9

유형 1-1
두 자리 수가 가장 큰 수가 되려면 십의 자리의 숫자가 가장 큰 숫자가 되어야 합니다.

02 다음 숫자 카드로 만들 수 있는 두 자리 수 중에서 가장 작은 수를 쓰시오.

0 4 7

유형 1-1
십의 자리에는 0이 올수 없습니다.

접는 선

유형 1-1
두 자리 수가 짝수가 되려면 일의 자리의 숫자가 짝수여야 합니다.

03 다음 숫자 카드로 만들 수 있는 두 자리 짝수를 모두 쓰시오.

0 1 4 8

유형 1-1
만들 수 있는 두 자리 수를 모두 찾아서 나머지 수와의 차를 구해 봅니다.

04 다음 숫자 카드를 한 번씩 사용하여 두 자리 수와 한 자리 수를 만들어 차를 구하려고 합니다. 가장 큰 차를 구하시오.

1 5 8

접는 선

05 서로 다른 숫자 카드 3장을 사용하여 만든 가장 큰 두 자리 수가 84이고 두 번째로 큰 두 자리 수가 81입니다. 이때, 가장 작은 두 자리 수를 구하시오.

유형 1-2
사용한 숫자 카드 3장을 먼저 찾아봅니다.

06 다음 숫자 카드로 만들 수 있는 네 번째로 큰 두 자리 수를 구하시오.

2 4 6 7

유형 1-2
가장 큰 두 자리 수부터 크기 순서대로 나열해 봅니다.

접는 선

유형 1-2

숫자 0이 십의 자리에 올 수 없습니다.

07 다음 숫자 카드로 만들 수 있는 네 번째로 작은 두 자리 수를 구하시오.

0 1 6 8

유형 1-2

일의 자리가 짝수인 두 자리 수를 작은 수부터 순서대로 나열해 봅니다.

08 다음 숫자 카드로 만들 수 있는 세 번째로 작은 두 자리 짝수를 구하시오.

9

접는 선

09 서로 다른 숫자가 적힌 카드 중 2장을 골라 두 자리 수를 만들었습니다. 세 번째로 큰 수를 보고 □ 안에 세 번째로 작은 수를 써넣으시오.

세 번째로 큰 수 : 72

세 번째로 작은 수 : □

> ! 유형 1-3
> 세 번째로 큰 수가 72이므로 가장 큰 숫자는 7, 가장 작은 숫자는 2입니다.

10 서로 다른 숫자가 적힌 카드 중 2장을 골라 만든 두 자리 수가 다음과 같을 때, 빈 카드의 숫자를 구하시오.

6  8 9

두 번째로 큰 수 : 96

두 번째로 작은 수 : 68

> ! 유형 1-3
> 첫째로 작은 수는 6□입니다.

접는 선

유형 2-1
숫자를 하나씩 넣으면서 크기가 맞는지 확인해 봅니다.

11 두 자리의 수의 크기를 비교했습니다. □ 안에 똑같이 들어갈 수 있는 숫자를 모두 구하시오.

□4 < 3□

유형 2-1
□에 4를 넣어 보면 □는 4보다 큰 숫자입니다.

12 □ 안에 알맞은 숫자에 모두 ○표 하시오.

87 > □5 > 46

0 1 2 3 4 5 6 7 8 9

접는 선

13 □ 안에 똑같이 들어갈 수 있는 숫자를 모두 구하시오.

유형 2-1
각각의 □를 만족하는 숫자를 모두 구한 다음 공통으로 들어가는 숫자를 찾습니다.

14 □ 안에 똑같이 들어가는 숫자를 구하시오.

$36 < \square 5 < 5\square$

유형 2-2
36 < □5에서 □에 3을 넣었을 때, 식이 성립하는지 알아봅니다.

접는 선

유형 2-2
31 > □4에서 □에는 3보다 작은 수가 들어가야 합니다.

15 두 자리 수의 크기를 비교했습니다. □ 안에 알맞은 숫자를 써넣으시오.

31 > □4 > □5

유형 2-2
73 > □4에서 73보다 작은 수이기 때문에 □는 7보다 작은 수가 들어가야 합니다.

16 두 자리 수의 크기를 비교한 것입니다. □ 안에 똑같이 들어갈 수 있는 가장 큰 숫자를 구하시오.

73 > □4 > 3□ □2 > 49 > 4□

접는 선

2. 조건에 맞는 수

2-1. 조건에 맞는 수 | 01~10

01 40에서 80까지의 수 중에서 일의 자리의 숫자가 십의 자리의 숫자보다 큰 수는 모두 몇 개인지 구하시오.

유형 1-1
십의 자리 숫자에 따라 조건을 만족하는 일의 자리 숫자는 몇 개가 있는지 생각해 봅니다.

02 십의 자리 숫자와 일의 자리 숫자의 차가 7인 두 자리 수는 모두 몇 개인지 구하시오.

유형 1-1
십의 자리 숫자가 더 클 수 도 있고 일의 자리 숫자가 더 클 수도 있습니다.

접는 선

유형 1-1
합이 4가 되는 두 숫자를 먼저 구합니다.

03 두 자리 수 중에서 십의 자리 숫자와 일의 자리 숫자의 합이 4가 되는 수는 모두 몇 개인지 구하시오.

유형 1-1
십의 자리 숫자를 정한 다음 일의 자리 숫자를 생각합니다.

04 다음 숫자 카드를 1장씩 사용해서 두 자리 수를 만들 때, 십의 자리 숫자가 일의 자리 숫자보다 큰 수는 몇 개 만들 수 있는지 구하시오.

0 3 6 9

접는 선

05 1에서 6까지의 숫자 카드가 한 장씩 있습니다. 숫자 카드 2장으로 두 자리 수를 만들 때, 두 숫자 카드의 합이 9인 수는 모두 몇 개 만들 수 있는지 구하시오.

유형 1-1
숫자 카드 두 장의 합이 9가 되는 경우를 먼저 찾습니다.

06 다음 두 조건을 만족하는 두 자리 수를 모두 구하시오.

- 44보다 크고 88보다 작은 수입니다.
- 십의 자리 숫자와 일의 자리 숫자가 같은 수입니다.

유형 1-2
44보다 크고 88보다 작은 수는 45부터 87까지의 수입니다.

접는 선

유형 1-2
십의 자리에 올 수 있는 숫자와 일의 자리에 올 수 있는 숫자를 각각 구합니다.

07 다음 두 조건을 모두 만족시키는 두 자리 수는 몇 개인지 구하시오.

- 십의 자리 숫자는 3보다 작습니다.
- 일의 자리 숫자는 6보다 큽니다.

유형 1-2
두 자리 홀수는 개수가 많으므로 두 번째와 세 번째 조건을 먼저 생각합니다.

08 다음 세 조건을 모두 만족시키는 두 자리 수를 구하시오.

- 홀수입니다.
- 20보다 크고 40보다 작습니다.
- 일의 자리의 숫자가 십의 자리의 숫자보다 6이 큽니다.

접는 선

09 □ 안에 모두 들어갈 수 있는 숫자를 구하시오.

□ < 7 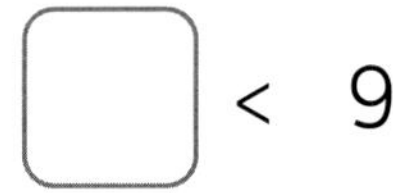 < 9 □ < 6

 > 1 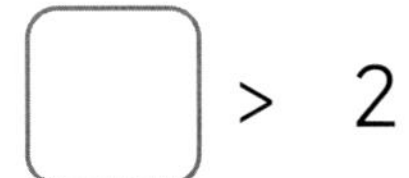 > 2 □ > 4

> 유형1-3
> □ < 7, □ < 9, □ < 6를 모두 만족하는 수는 6보다 작은 수입니다.

10 파란 상자에 사탕을 넣으면 더 많은 사탕이 나오고, 초록 상자에 사탕을 넣으면 사탕의 개수가 줄어서 나옵니다. 4개의 상자에 모두 같은 개수의 사탕을 넣었습니다. 사탕이 나온 모습을 보고 넣은 사탕의 개수를 구하시오.

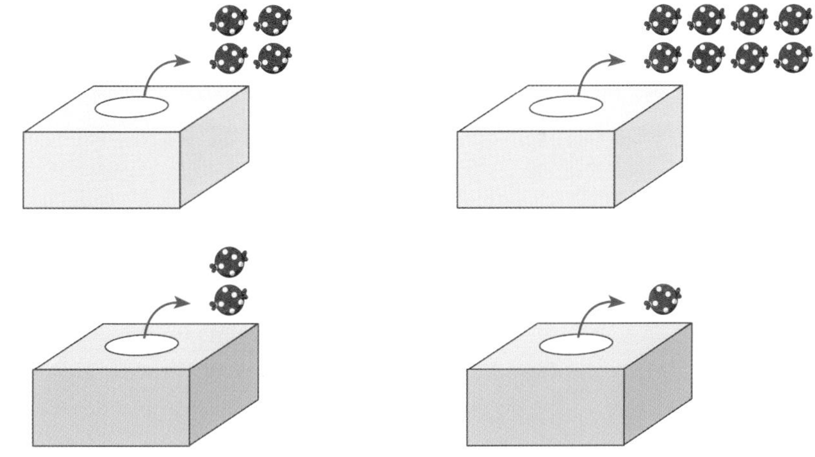

> 유형1-3
> 사탕이 몇 개보다 적어야 하고 몇 개보다 많아야 하는지 생각해 봅니다.

접는 선

2-2. 수 수수께끼 | 11~16

> ❗ 유형 2-1
> 10개씩의 묶음은 십의 자리의 숫자를, 남는 개수는 일의 자리 숫자를 나타냅니다.

11 두 다람쥐가 각자 서로 다르게 모은 도토리의 개수를 이야기하고 있습니다. 아래 보기 의 수들에서 해당하는 도토리의 개수를 하나씩 찾아 □ 안에 써넣으시오.

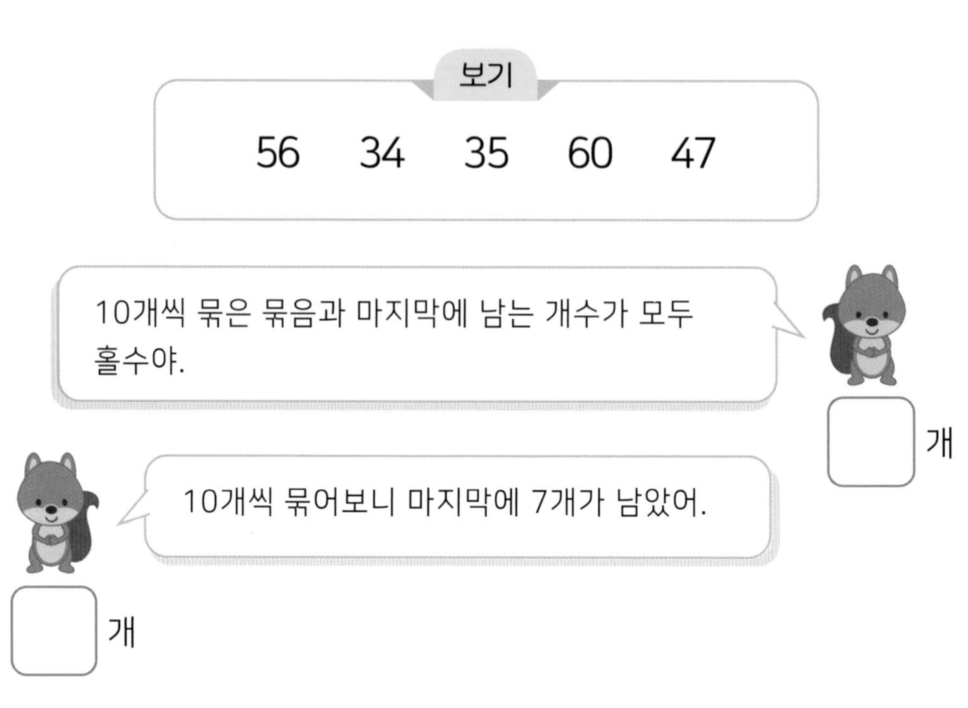

> ❗ 유형 2-1
> 40보다 크고 70보다 작은 짝수는 2개가 있습니다.

12 깜이와 냥이는 아래 수들 중에서 서로 다른 수를 이야기하고 있습니다. 깜이가 찾는 수에는 ○표를, 냥이가 찾는 수에는 △표를 하시오.

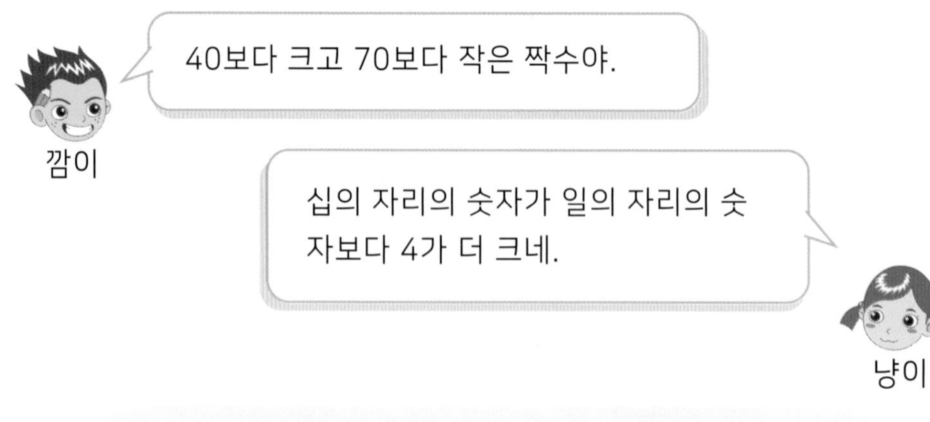

34 42 57 62 65

접는선

13 세 동물이 생각하고 있는 두 자리 수에 맞게 하나씩 선으로 이으시오.

> ❗ 유형 2-1
> 조건에 맞는 수를 찾아봅니다.

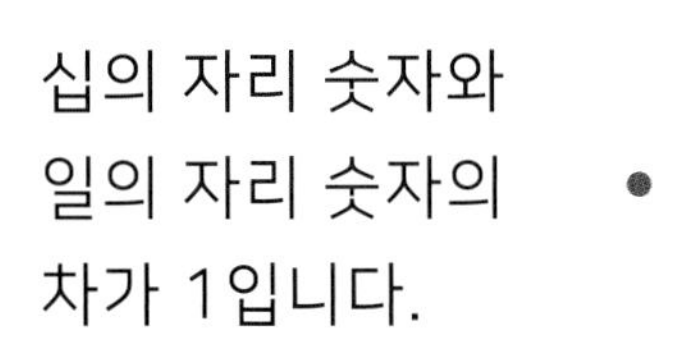

십의 자리 숫자와 일의 자리 숫자의 차가 1입니다. •　　　　• 55

홀수입니다. •　　　　• 98

50보다 작은 수입니다. •　　　　• 34

14 초록색 두 상자 안에는 모두 있고 파란색 상자 안에는 없는 공이 하나 있습니다. 찾는 공에 쓰여진 수를 구하시오.

> ❗ 유형 2-2
> 초록색 두 상자에 모두 있는 수를 구한 다음 파란색 상자의 수와 비교해 봅니다.

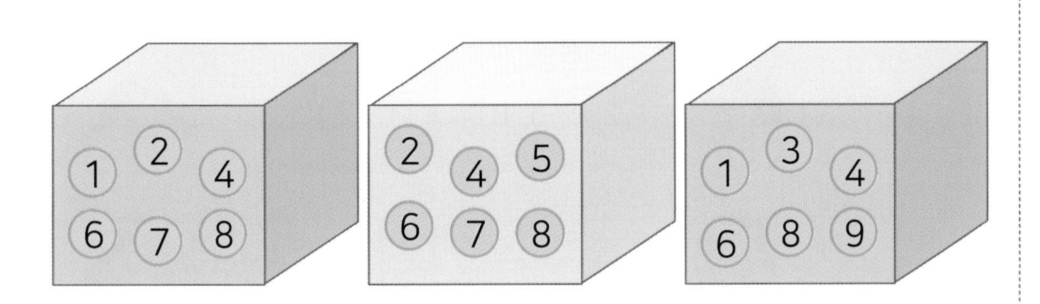

접는선

유형 2-2
있다고 한 수들 중에서 두 번 모두 있다고 한 수를 먼저 구합니다.

15 깜이가 하나의 수를 생각하고 냥이가 질문하고 있습니다. 깜이가 생각한 수를 구하시오.

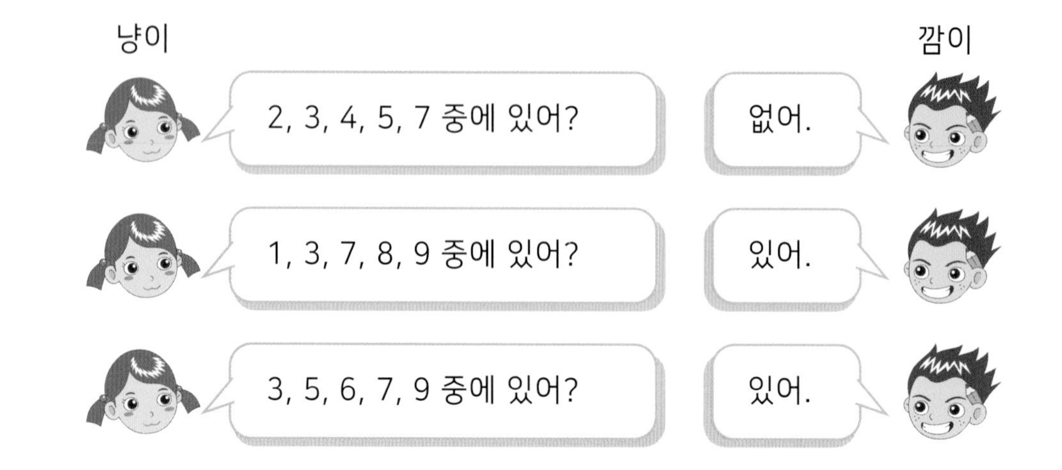

유형 2-2
첫 번째와 세 번째 질문에서 없는 수를 모두 제외시킵니다.

16 냥이가 숫자 1개를 생각하고 깜이가 물어본 숫자가 있는지 말해주고 있습니다. 냥이가 생각한 숫자 1개를 쓰시오.

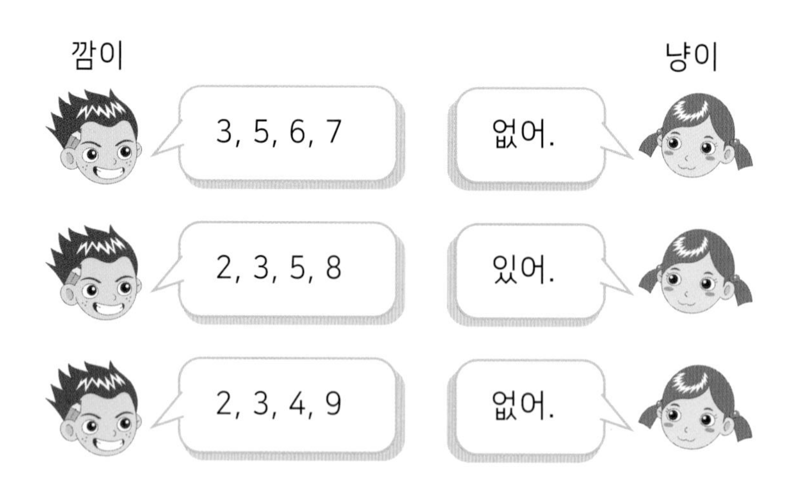

접는 선

3. 모양 겹치기

3-1. 모양 겹치기 | 01~08

01 색칠된 두 투명 종이를 그대로 겹치면 색칠된 칸은 몇 칸이 되는지 구하시오.

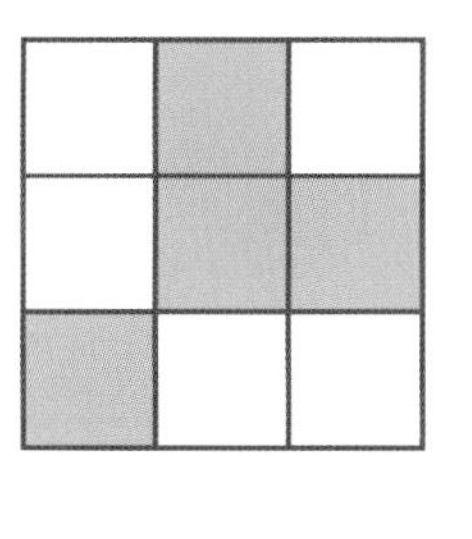
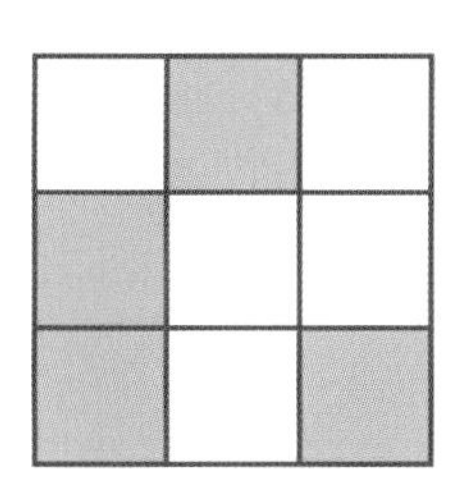
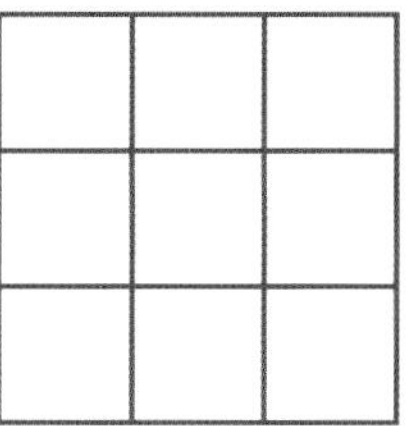

유형 1-1
아래 빈 곳에 색칠되는 칸을 모두 색칠해 봅니다.

02 두 투명 종이를 겹쳐서 색칠된 칸이 가장 적을 때, 색칠된 칸의 개수를 구하시오. 단, 두 투명 종이 모두 뒤집지 않습니다.

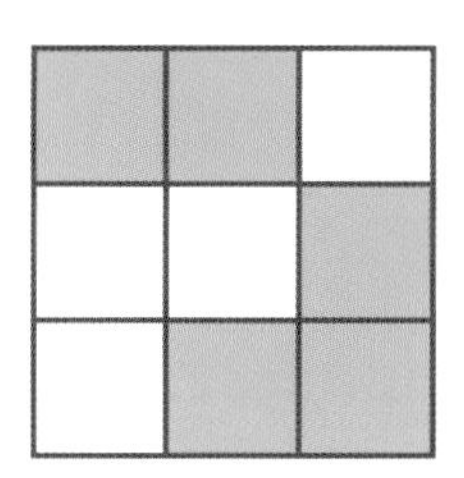
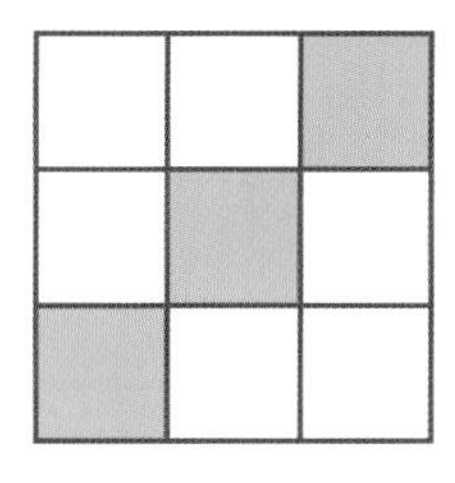

유형 1-1
오른쪽 모양이 돌린 모양을 그리기가 더 간단합니다.

접는 선

유형 1-1

색칠된 칸이 가장 많을 때는 가운데 칸을 제외한 3칸을 채울수 있습니다.

03 세 투명 종이를 색칠된 칸이 가장 적게 겹칠 때, 색칠된 칸의 개수를 구하시오. 단, 세 투명 종이 모두 뒤집지 않습니다.

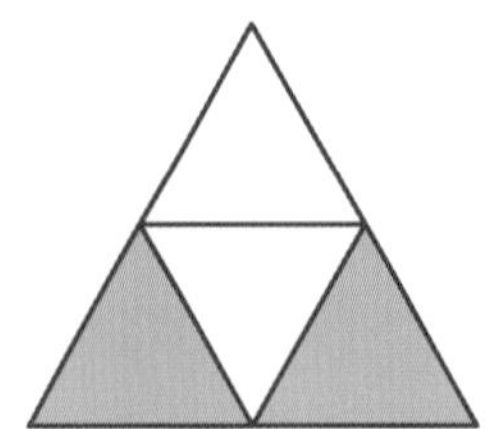
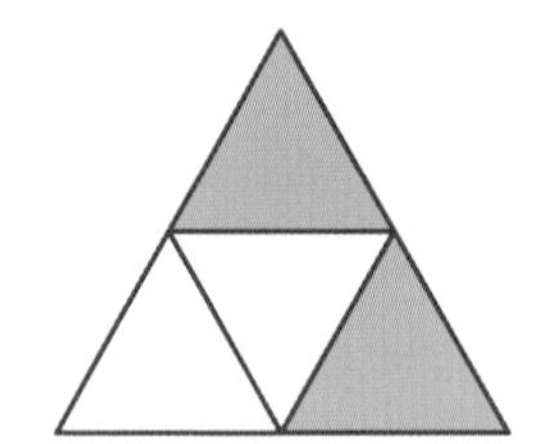
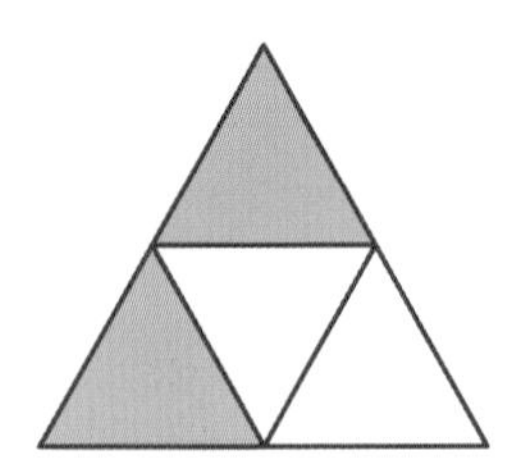

유형 1-1

두 장을 먼저 비교해 봅니다.

04 세 투명 종이를 색칠된 칸이 가장 많게 겹칠 때 색칠된 칸의 개수를 구하시오. 단, 세 투명 종이 모두 뒤집지 않습니다.

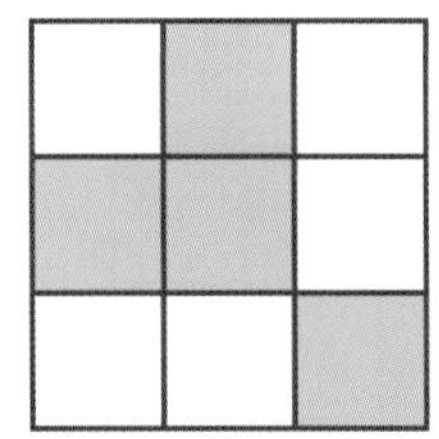
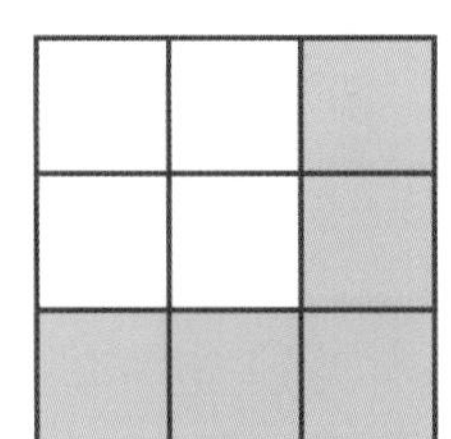
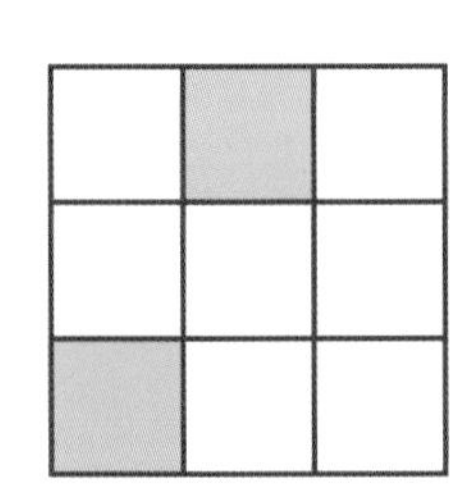

접는 선

05 두 투명 종이를 색이 같도록 겹쳤을 때 어떤 모양이 나오는지 그리시오.

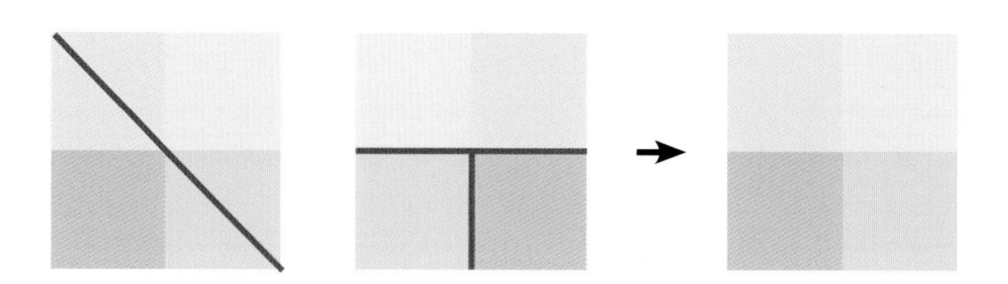

유형 1-2
색의 위치가 다른 모양은 돌려서 색을 같게 만들었을 때의 모양을 그립니다.

06 두 투명 종이를 겹친 모양을 보고 빈 투명 종이에 알맞은 모양을 그리시오. 단, 두 투명 종이의 선이 겹치지는 않습니다.

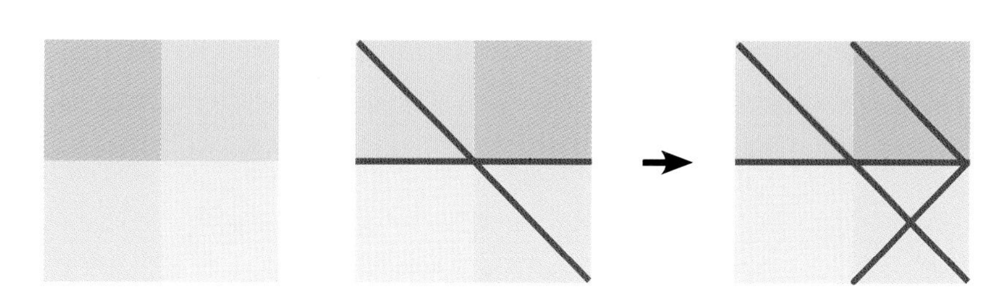

유형 1-2
겹친 모양에서 겹친 한 장의 투명 종이의 모양을 빼면 〉 모양이 남습니다.

접는 선

유형 1-2
왼쪽이나 오른쪽으로 뒤집거나 위나 아래로 뒤집어서 세 투명 종이의 색을 같게 만듭니다.

07 세 투명 종이를 색이 같도록 겹칠 때, 나오는 모양을 그리시오.

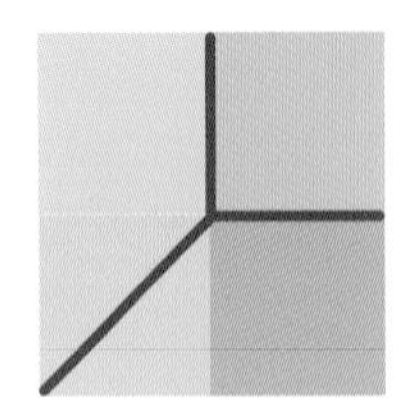 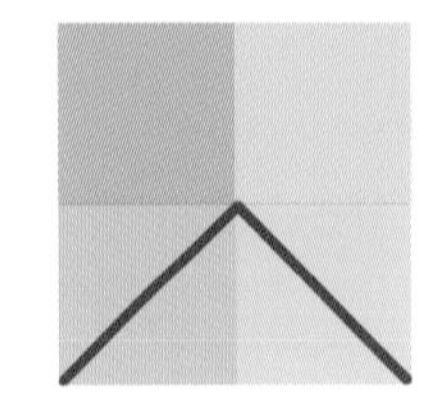 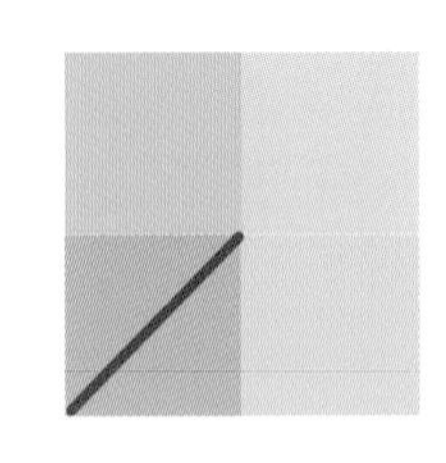 → 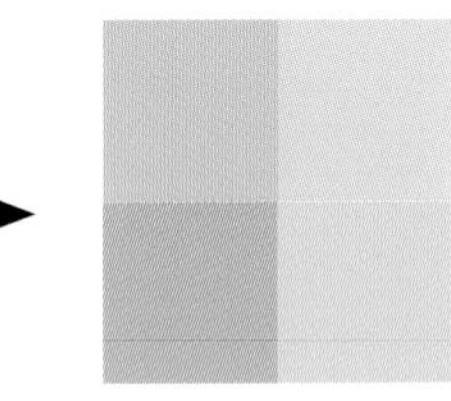

유형 1-2
겹친 모양에서 두 투명종이의 모양을 빼면 어떤 모양이 남는지 생각합니다.

08 세 투명 종이를 겹친 모양을 보고 빈 투명 종이에 알맞은 모양을 그리시오. 단, 세 투명 종이의 선이 겹치지는 않습니다.

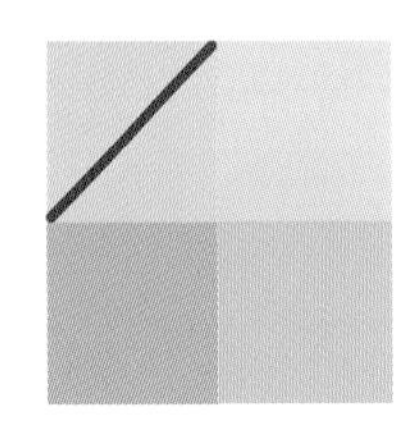  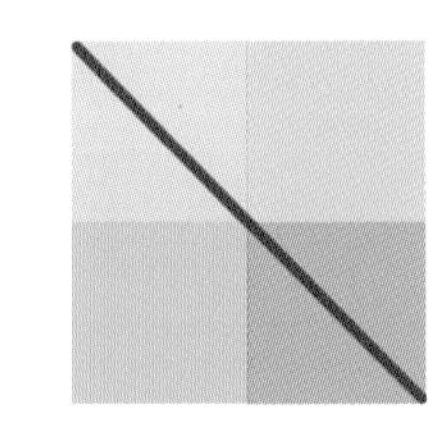 → 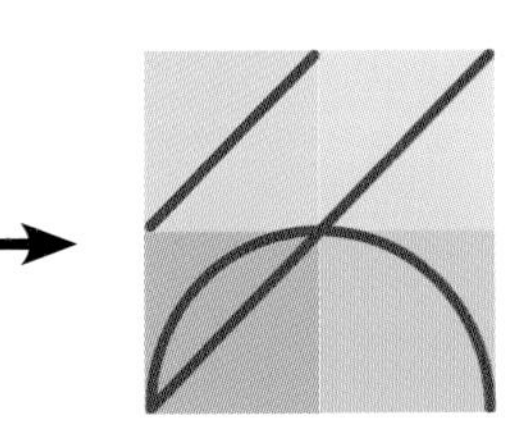

접는 선

3-2. 겹쳐진 부분의 모양과 개수 | 09~16

09 주어진 모양을 선을 따라 접었을 때, 나오는 모양에 ○표 하시오.

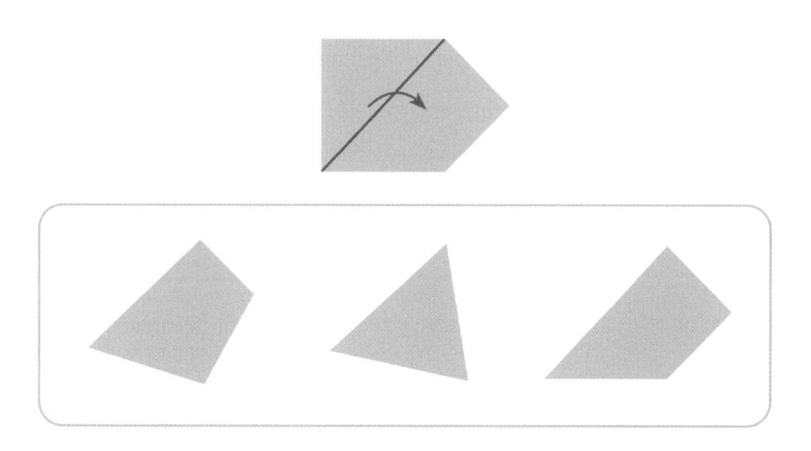

유형 1-2
접힌 선을 기준으로 모양을 잘 관찰해 봅니다.

10 모두 같은 모양의 종이에 선을 그어 한 번 접은 모양들입니다. 접기 전 모양을 찾아 ○표 하시오.

유형 2-1
접은 모양에서 세 번째 모양은 아래 세 모양 모두 만들 수 있습니다.

접는 선

유형 1-2
겹쳐진 부분의 선에 맞게 두 모양을 겹쳐서 그립니다.

11 두 모양을 그대로 옮겨 겹쳤을 때 겹쳐진 부분에 맞도록 겹친 모양을 그리시오.

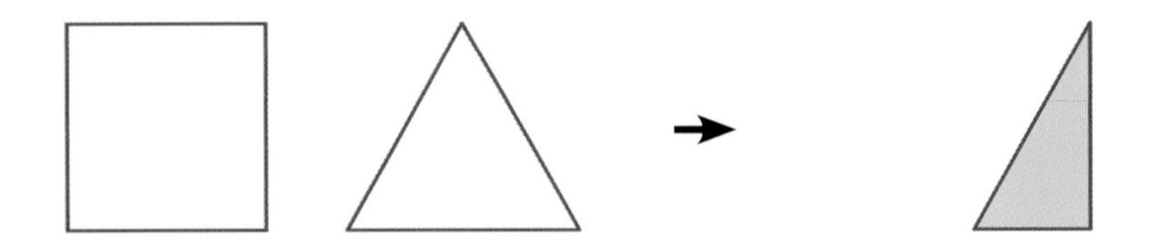

유형 1-2
겹쳐진 부분의 선을 모두 만들 수 있어야 합니다.

12 겹쳐진 부분의 모양을 보고 겹친 두 개의 모양을 골라 ○표 하시오.

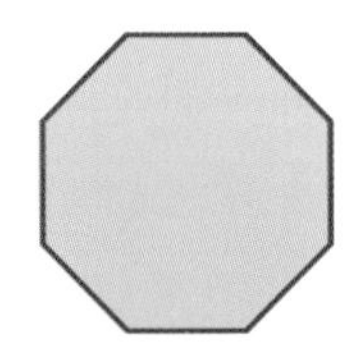

겹쳐진 부분의 모양

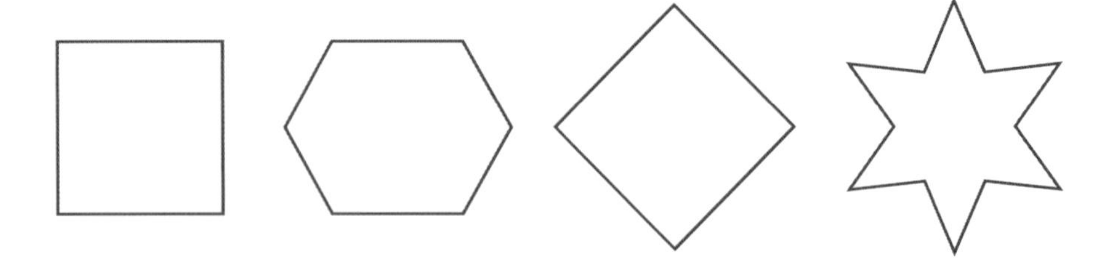

접는 선

13 겹친 모양을 보고, □ 안에 나누어진 부분의 개수를 써넣으시오.

(1)

□ 부분

(2)

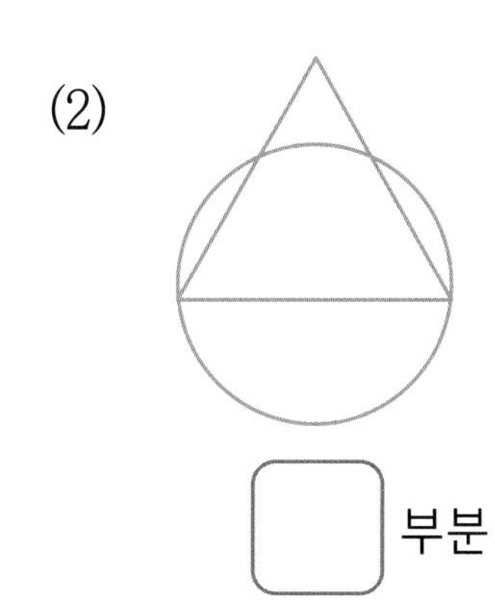

□ 부분

유형 1-2
나누어진 작은 부분을 빼고 세지 않도록 주의합니다.

14 네모와 세모 모양을 겹쳤을 때, 나누어진 부분의 개수가 다른 하나에 ○표 하시오.

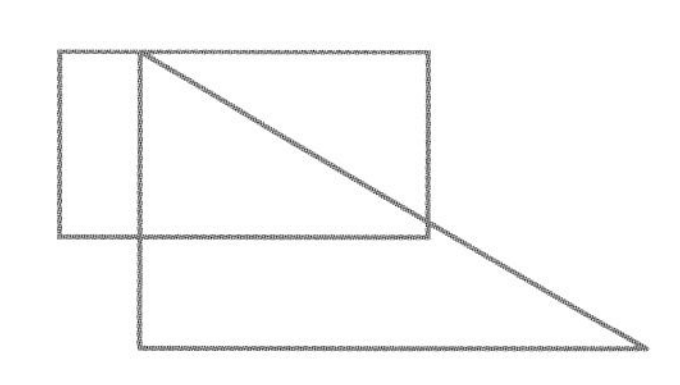

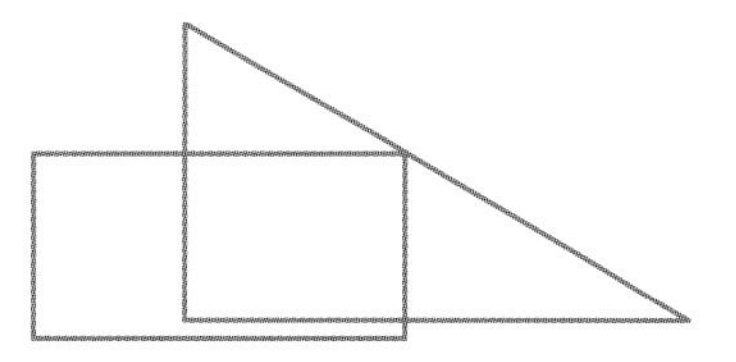

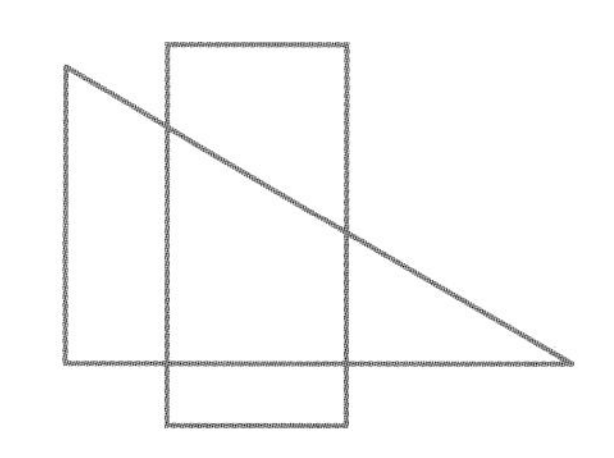

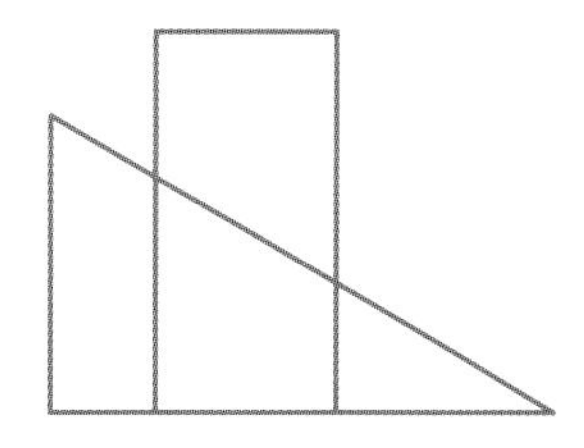

유형 1-2
어떻게 겹치느냐에 따라 나누어진 부분의 개수가 다르게 됩니다.

접는 선

유형 1-2

두 모양을 돌려 가면서 겹친 부분의 개수를 세어 봅니다.

15 두 모양을 겹쳤을 때, 나누어지는 부분이 5개가 되도록 겹친 모양을 그리시오.

유형 1-2

선을 많이 겹칠수록 나누어지는 부분이 많아집니다.

16 모양 두 개씩을 겹쳤을 때, 나누어지는 부분이 가장 많게 되도록 겹칠 수 있는 쪽에 ○표 하시오.

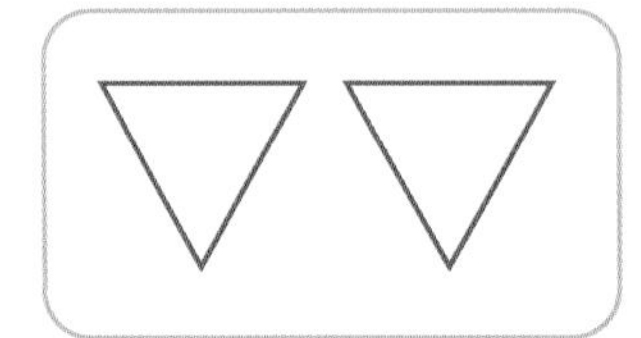
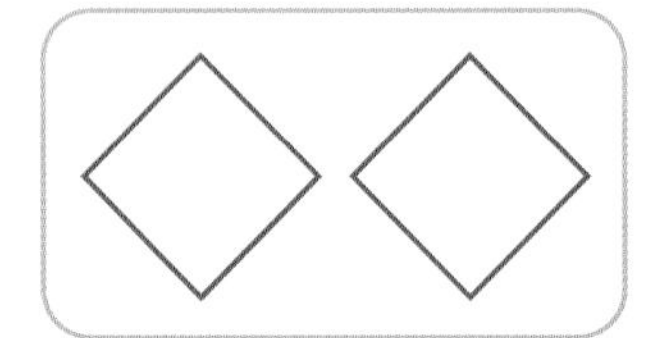
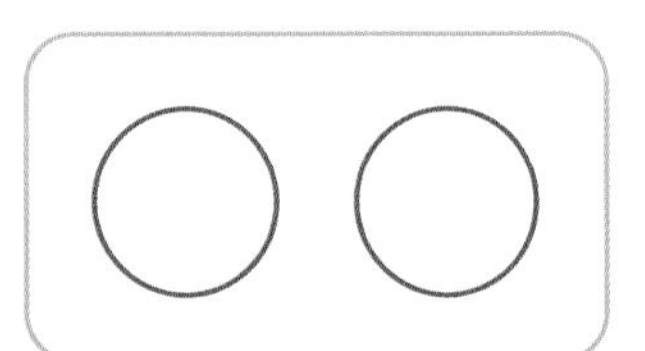

접는 선

4-1. 종이 접어 자르기 | 01~06

01 색종이를 화살표 방향으로 접은 다음 ●자리에 구멍을 뚫고 다시 펼쳤을 때, 구멍은 모두 몇 개가 생기는지 구하시오.

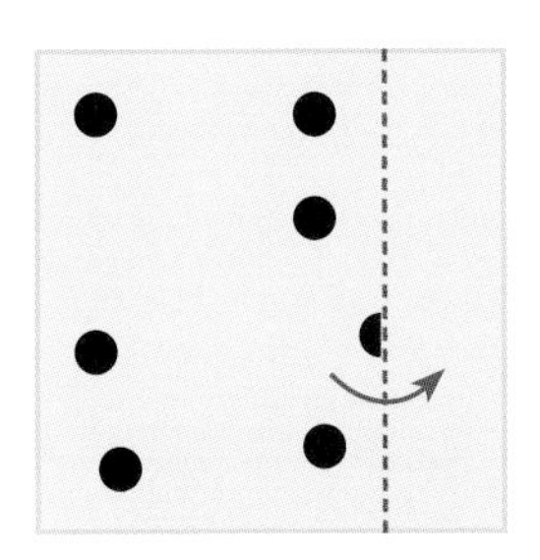

유형 1
접는 선을 기준으로 반대쪽에 생기는 점을 그려봅니다.

02 반으로 접은 색종이를 선을 따라 잘랐을 때 색종이는 몇 조각으로 나누어지는지 구하시오.

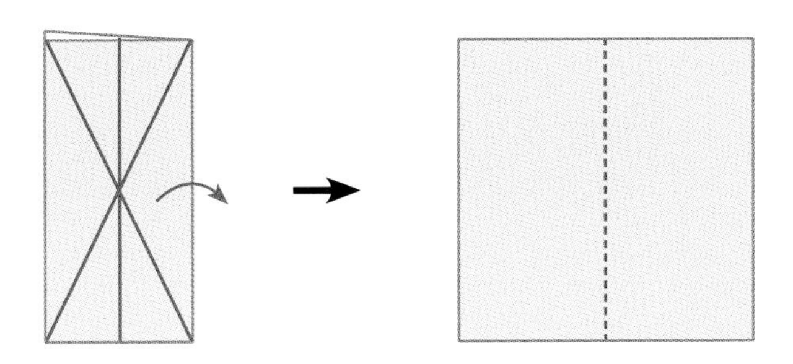

유형 1-1
펼쳤을 때의 모양을 그려봅니다.

접는 선

유형 1-1
펼쳤을 때의 모양을 그린 다음 세모와 네모의 개수를 세어 봅니다.

03 반으로 접은 색종이를 선을 따라 잘랐을 때 나오는 조각 중에서 세모 모양과 네모 모양의 개수를 각각 구하시오.

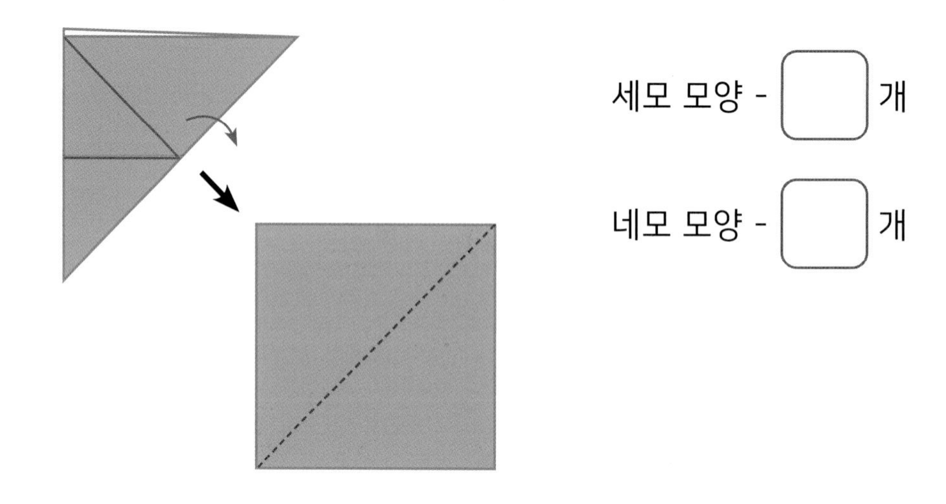

세모 모양 - ☐개

네모 모양 - ☐개

유형 1-2
펼치는 방향에 따라 펼쳤을 때 나오는 그림이 각각 다릅니다.

04 선을 따라 잘랐을 때, 더 적은 조각으로 나누어지는 쪽에 ○표 하시오.

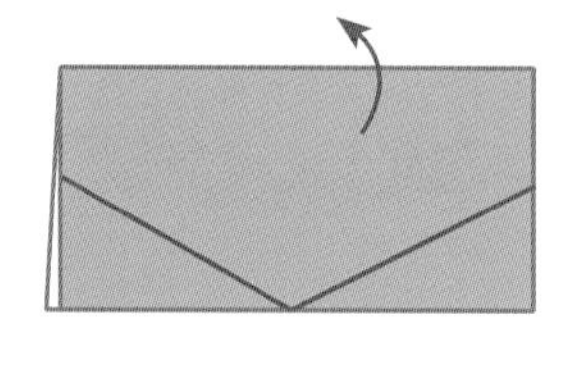

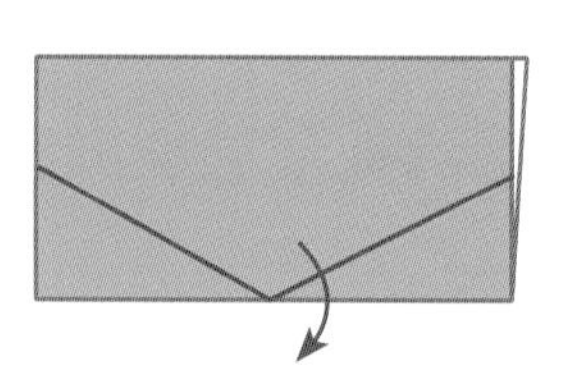

접는 선

05 종이를 한 번 접은 다음 선을 따라 잘랐을 때, 나누어지는 조각의 개수를 구하시오.

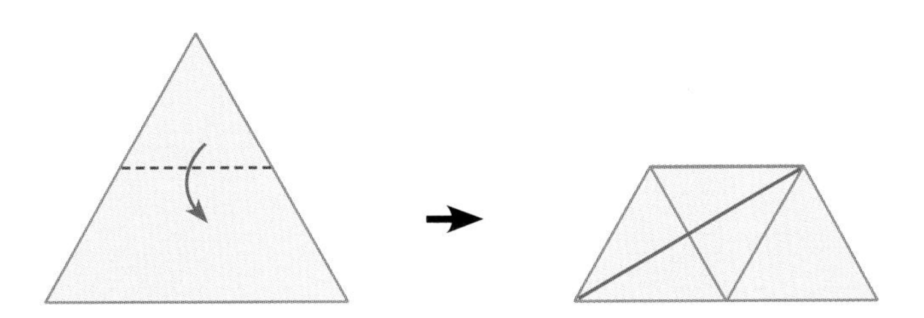

유형1-2
펼쳤을 때, 잘라지는 선을 그려 봅니다.

06 색종이를 반으로 접은 다음 선을 따라 잘랐을 때, 나누어지는 조각의 개수를 구하시오.

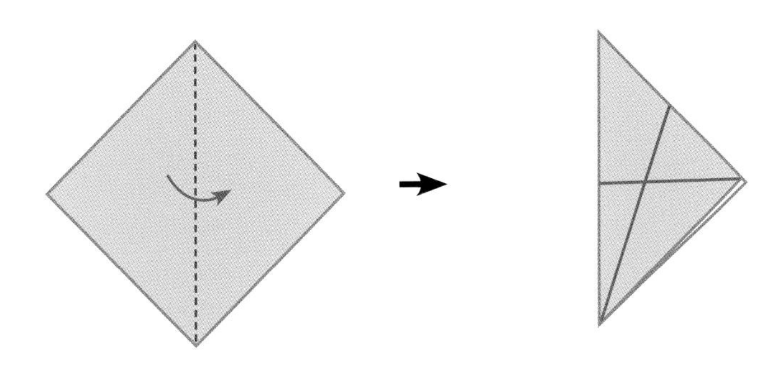

유형1-2
색종이를 펼쳤을 때, 잘라지는 선을 그려 봅니다.

접는 선

유형 2-1
두 선이 만나도록 그어 자르면 두 선이 만나지 않았을 때보다 조각의 개수가 더 늘어납니다.

07 선을 따라 잘랐을 때, 3조각과 4조각이 되도록 색종이 안에 각각 2개씩 선을 그리시오.

3조각

4조각

유형 2-1
선끼리 만나는 횟수에 따라 나누어지는 조각의 개수가 달라집니다.

08 모양에 선을 2개 그은 것입니다. 선을 따라 잘랐을 때, 6조각으로 나누어지도록 선을 1개 더 그리시오.

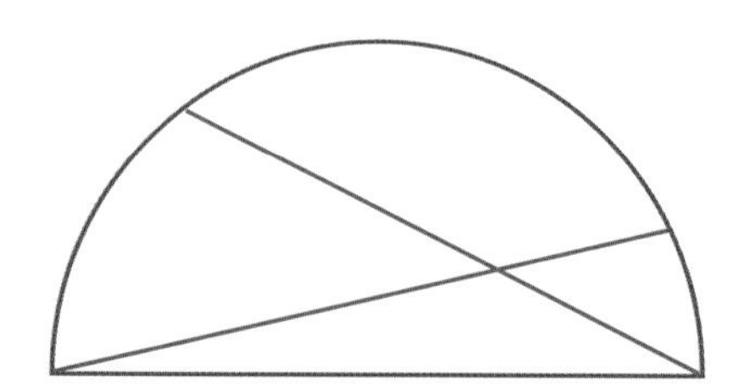

접는 선

09 색종이에 선을 3개 그은 것입니다. 선을 따라 잘랐을 때, 색종이가 9조각으로 나누어지도록 선을 1개 더 그리시오.

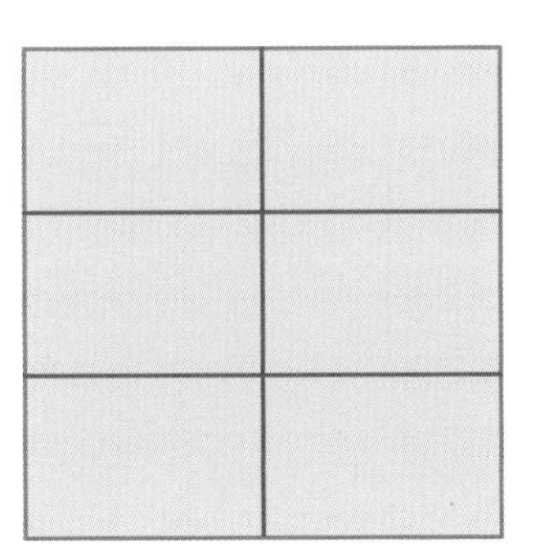

유형 2-1
만나는 선의 개수를 달리 하면서 나누어지는 조각의 개수를 세어 봅니다.

4-3. 크고 작은 모양의 개수 | 10~16

10 다음 모양에서 선을 따라 그릴 수 있는 크고 작은 네모 모양은 모두 몇 개인지 구하시오.

유형 3-1
작은 네모, 작은 네모가 2개 붙은 모양, 작은 네모가 3개 붙은 모양으로 나누어 생각해 봅니다.

접는 선

유형 3-1
칸의 크기를 구분하여 각각의 개수를 세어 봅니다.

11 선을 따라 그릴 수 있는 크고 작은 네모 모양이 더 많은 쪽에 ○표 하시오.

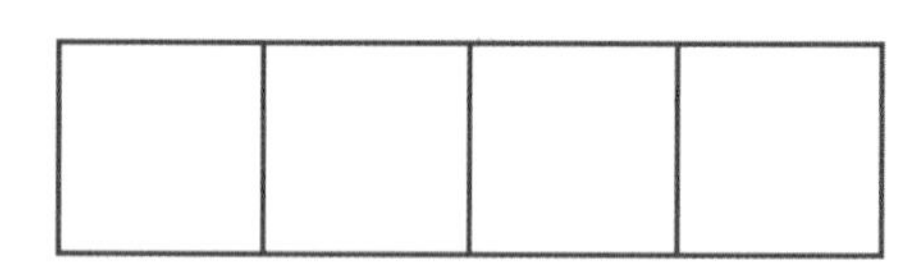

유형 3-1
칸이 1칸, 2칸, 3칸, 4칸일때의 네모 모양의 개수를 셉니다.

12 다음 모양에서 선을 따라 그릴 수 있는 크고 작은 네모 모양은 모두 몇 개인지 구하시오.

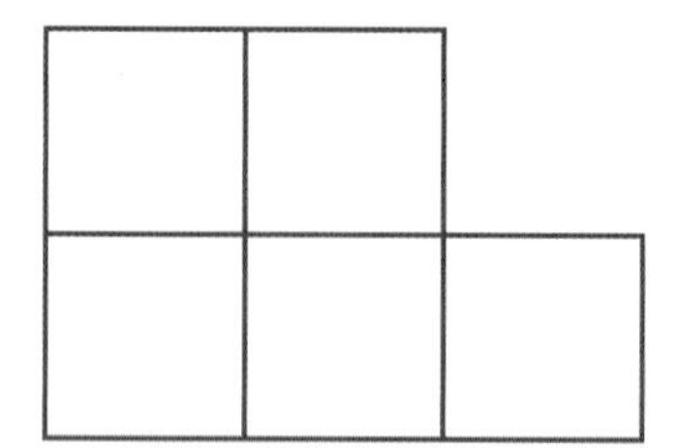

접는 선

13 선을 따라 네모 모양을 그릴 때, 색칠된 부분이 네모 모양의 안쪽에 있도록 그릴 수 있는 크고 작은 네모 모양의 개수를 구하시오.

색칠한 칸이 포함되는 네모의 개수만 셉니다.

14 다음 모양에서 선을 따라 그릴 수 있는 크고 작은 세모 모양은 모두 몇 개인지 구하시오.

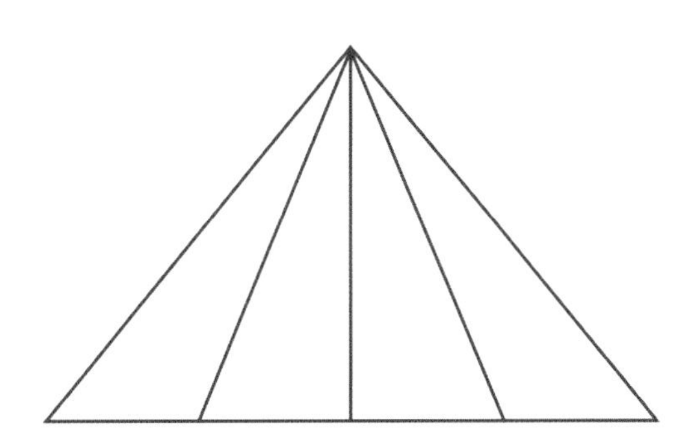

유형3-2

작은 세모, 작은 세모가 2개 붙은 모양, 작은 세모가 3개 붙은 모양으로 나누어 생각해 봅니다.

접는 선

유형 3-2
세모 모양은 점 3개를 이으면 그릴 수 있습니다.

15 점을 이어 그릴 수 있는 크고 작은 세모 모양의 개수를 구하시오.

유형 3-2
크고 작은 세모의 모양을 구할 때, 세모 모양을 돌린 ▽모양의 개수도 같이 세어야 합니다.

16 선을 따라 그릴 수 있는 크고 작은 세모 모양의 개수를 구하시오.

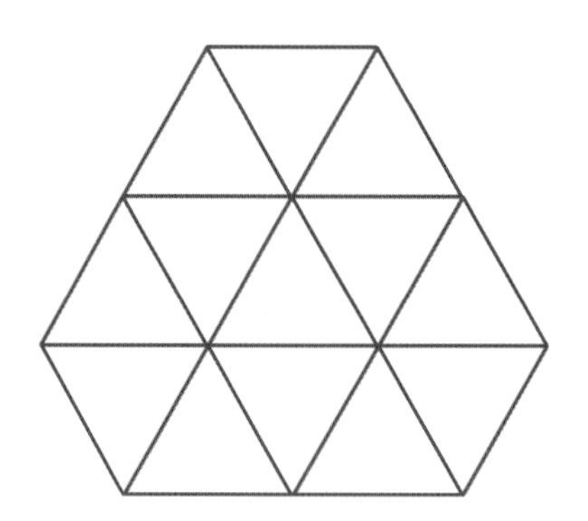

접는 선

예비 활동 가이드

조건에 맞는 수 - 2-2. 있다 없다 수수께끼

있다 없다 수수께끼는 경시대회 등에서 자주 등장하는 문제 유형 중 하나입니다. 실제 게임을 몇 번 해 보면 비슷한 유형의 문제 해결 방법을 생각해 보는데 도움이 됩니다. 게임 후에 상대방의 수를 찾을 수 있는 해결 방법에 대해서도 생각해 볼 수 있습니다.

있다 없다 수수께끼

<게임 방법>

① 술래를 정해서 술래가 1부터 9까지의 숫자 중 하나를 생각합니다.

② 질문하는 사람이 숫자 5개를 말하고 술래는 생각한 수가 있으면 '있어' 없으면 '없어' 라고만 답합니다.

③ 질문하는 사람은 술래의 대답을 듣고 숫자를 5개를 다시 물어볼 수 있습니다.

④ 질문하는 사람이 4번 안에 술래가 생각한 숫자를 맞추면 이깁니다.

<게임 후 생각해 보기 - 해결 방법>

1) 처음 1, 2, 3, 4, 5로 질문할 때, 술래가 생각한 숫자가 없는 경우

1, 2, 3, 4, 5 중에 있어?

상대방이 생각한 수는 6, 7, 8, 9 중 하나이므로 두 번째 질문에서 6, 7, 8, 9 중 2개의 숫자를 섞어서 물어 봅니다.

1, 2, 3, 6, 7 중에 있어?

있다고 하면 6과 7 중 하나가 생각한 숫자이고 없다고 하면 8과 9중 하나가 생각한 숫자입니다.

➔ 남은 두 수 중 하나를 다른 수와 섞어서 물어 보면 세 번 만에 상대방이 생각한 수를 알아낼 수 있습니다.

2) 처음 1, 2, 3, 4, 5로 질문할 때, 술래가 생각한 숫자가 있는 경우

1, 2, 3, 4, 5 중에 있어?

있어.

상대방이 생각한 수는 1, 2, 3, 4, 5 중 하나이므로 두 번째 질문에서 1, 2, 3, 4, 5 중 3개의 숫자를 섞어서 물어 봅니다.

1, 2, 3, 6, 7 중에 있어?

있다고 하면 1, 2, 3 중 하나가 생각한 숫자이고 없다고 하면 4, 5 중 하나가 생각한 숫자입니다.

➔ 1, 2, 3 중에 생각한 숫자가 있으면 최대 두 번 더 질문을 해야 하고 4, 5 중에 생각한 숫자가 있을 경우 마지막으로 한 번 더 질문하면 상대방이 생각한 수를 알아낼 수 있습니다.

모양 겹치기 - 돌리거나 뒤집어서 모양 겹치기

돌려서 모양 겹치기

모양을 뒤집지 않고 돌렸을 때, 어떤 모양이 되는지 직접 그려 보는 활동을 할 수 있습니다. 돌린 모양을 색칠해 보고 두 모양을 돌리면서 겹쳐 보는 게임을 해 봅시다.

돌린 모양 색칠하기

준비물 - 활동 자료 1, 보드마카

<활동 방법>

① 활동 자료 1에 있는 투명 종이에 4~5칸을 색칠합니다. 그 다음 아이에게 시계 방향 또는 반 시계 방향으로 직접 4번을 굴리는 과정을 보여줍니다.

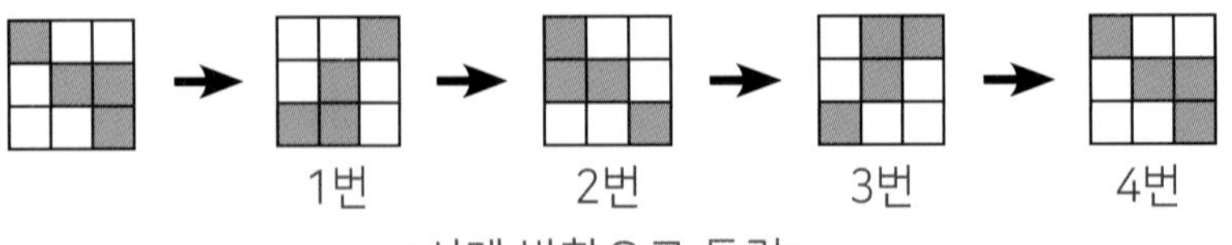

1번 2번 3번 4번

<시계 방향으로 돌림>

② 원래의 모양을 보여주면서 시계 방향이나 반 시계 방향으로 몇 번 굴릴 거라고 말해 주면 아이가 빈 투명 종이에 굴렸을 때의 모양을 예상하여 직접 색칠해 봅니다. 그 다음 모양을 굴려서 색칠한 모양이 맞았는지 확인해 봅니다.

예)

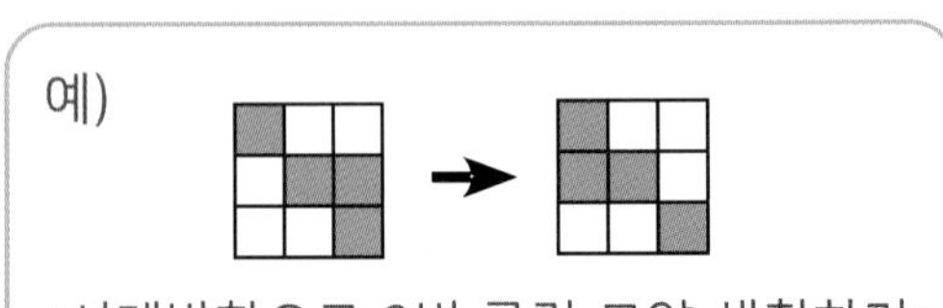

<시계방향으로 2번 굴린 모양 색칠하기>

겹쳐진 칸의 개수 찾기

준비물 - 활동 자료 1

<게임 방법>

① 투명 종이 4장에 2장씩 똑같은 모양으로 칸을 색칠합니다.

② 두 사람이 같은 모양을 1장씩 나누어 가진 다음 투명 종이를 겹쳐서 겹친 칸의 개수가 상대방보다 더 많게 만드는 게임입니다.

③ 겹친 칸의 개수가 더 많은 사람이 이기지만 개수가 같은 경우에는 더 빨리 찾은 사람이 이깁니다.

④ 겹친 칸이 더 많게 만들기와 더 적게 만들기를 미리 약속해 놓고 게임을 할 수 있습니다.

모양 겹치기 - 돌리거나 뒤집어서 모양 겹치기

뒤집어서 모양 겹치기

이번에는 모양을 돌리지 않고 뒤집었을 때의 모양을 그려 보는 활동을 해 볼 수 있습니다.

뒤집은 모양 그리기

준비물 - 활동 자료 2, 보드마카

<활동 방법>

① 활동자료 2의 투명 종이 두 장을 색깔이 같게 하여 나란히 놓습니다.

② 왼쪽 투명 종이에는 선으로 모양을 그리고, 오른쪽 투명 종이는 왼쪽이나 오른쪽, 또는 위나 아래로 뒤집어 놓습니다.

예)

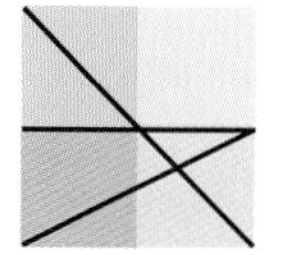

빈 투명 종이를 왼쪽이나 오른쪽으로 뒤집어 놓기

또는

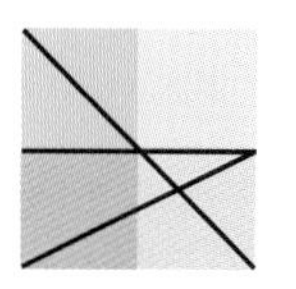

빈 투명 종이를 위나 아래로 뒤집어 놓기

③ 아이에게 색깔이 같게 두 투명 종이를 겹쳤을 때, 똑같은 모양이 나오도록 빈 투명 종이에 모양을 그려 보도록 한 다음 겹쳤을 때, 모양이 같아지는지 확인해 봅니다.

모양 겹치기 - 2. 겹쳐진 부분의 모양과 개수

겹쳐진 부분의 모양과 개수

모양을 직접 겹쳐 보면서 겹쳐진 부분의 모양을 관찰하고 겹쳤을 때, 몇 개의 부분으로 나누어지는지 세어 보는 활동을 해 볼 수 있습니다.

겹쳐서 생기는 모양

준비물 - 활동 자료 3

<활동 방법>

겹쳐진 부분에서 똑같은 모양이 생기도록 투명 종이 2장을 골라 모양에 직접 대어 보시오.

(정답 및 해설 31쪽)

예)

세모와 네모 투명 종이로 겹치는 모양이 나오도록 대 볼 수 있습니다.

겹쳐서 나누기

준비물 - 활동 자료 3

<활동 방법>

다음 두 모양을 겹쳐서 주어진 개수대로 나누어지도록 해 보시오. (정답 및 해설 31쪽)

예)

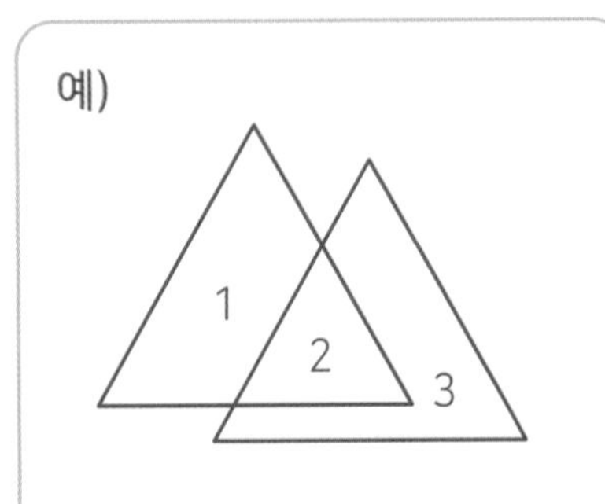

△ 모양 2개를 겹쳐 3부분으로 나누기

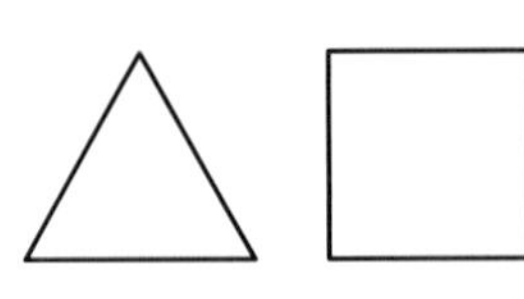

4부분으로 나누기

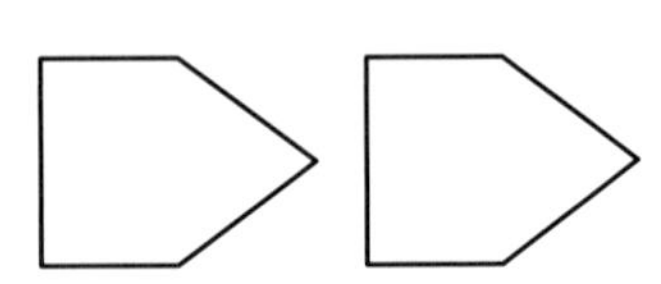

5부분으로 나누기

4부분으로 나누기

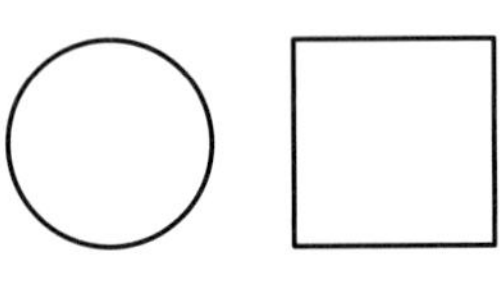

5부분으로 나누기

모양 겹치기 - 2-1. 종이 접어 겹치기

종이 접어
겹치기

종이를 한 번 접어서 겹친 모양을 찾을 때에는 실제로 색종이를 접어 보는 것이 모양을 파악하는데 도움이 됩니다. 색종이를 똑같이 접어 보고 접는 선과 모양을 관찰해 봅시다.

색종이를 접은 모양

준비물 - 색종이

직접 색종이를 한 번 접어서 아래와 같은 모양이 되도록 접어 보고 색종이를 폈을 때 접힌 부분의 선을 관찰해 보시오.

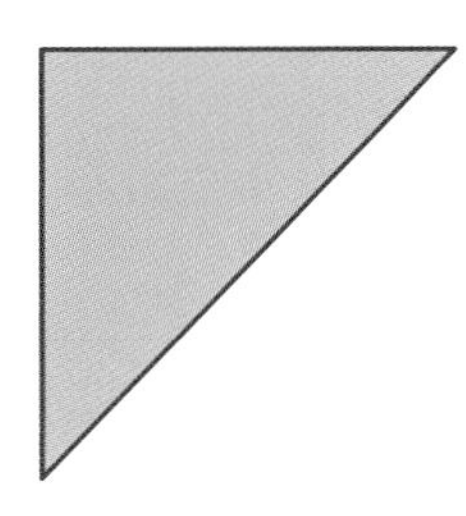
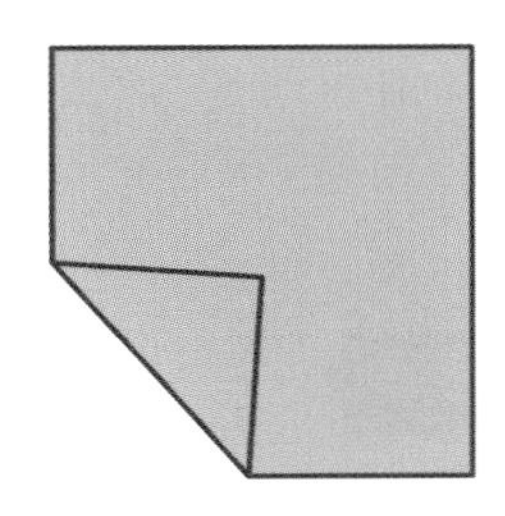
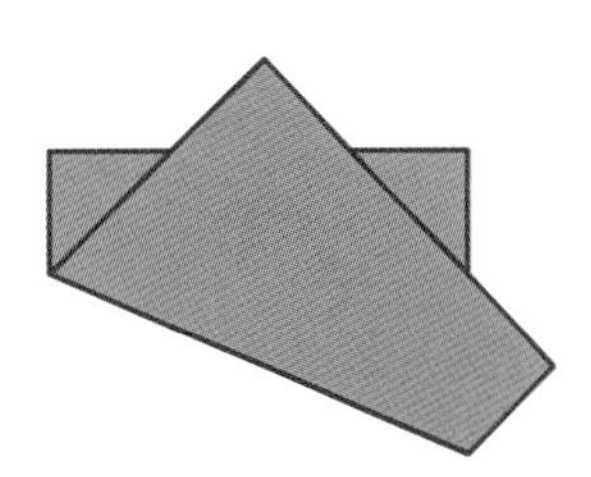
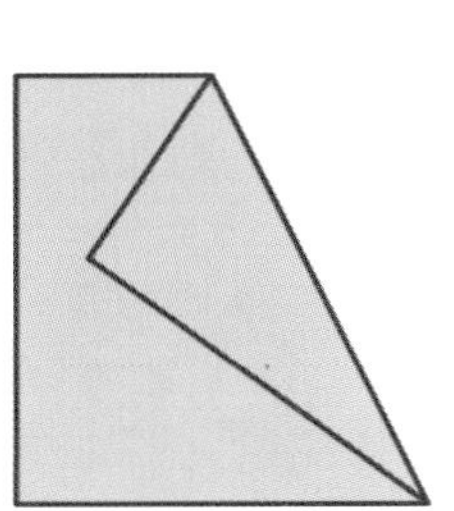

다음은 색종이를 한 번 접은 모양을 바깥쪽 선만 그린 것입니다. 똑같은 모양이 나오도록 색종이를 접어 보시오. (정답 및 해설 31쪽)

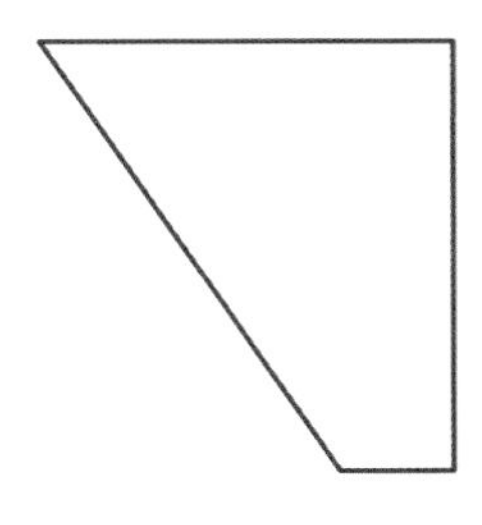
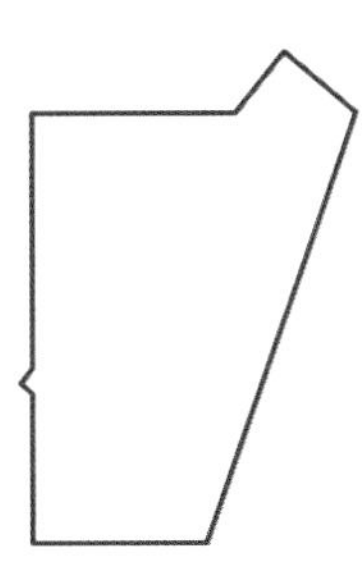
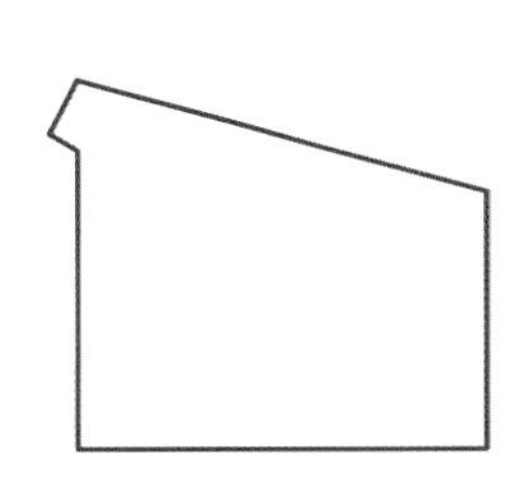
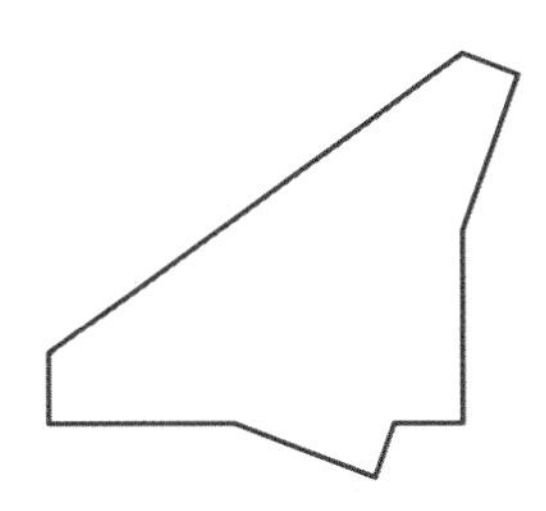
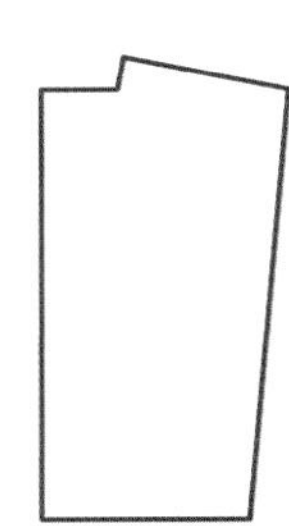
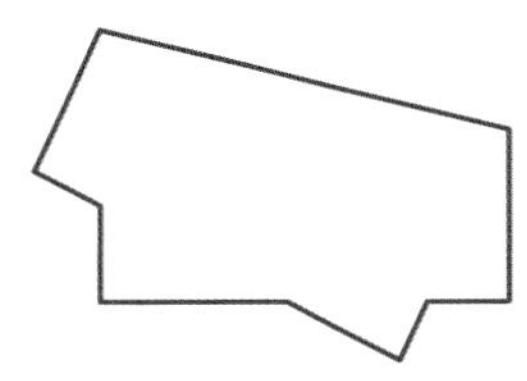

정답

1. 수의 크기

9쪽

숫자 카드와 수의 크기

십의 자리 숫자를 2, 4, 5, 7로 정했을 때, 각각 일의 자리 숫자를 넣어 보시오.

2-4	4-2	5-2	7-2
2-5	4-5	5-4	7-4
2-7	4-7	5-7	7-5

아래의 숫자 카드로 만들 수 있는 두 자리 수를 모두 써보시오.

0 3 6 9

30, 36, 39, 60, 63, 69, 90, 93, 96

[풀이] 숫자 0은 십의 자리 숫자로 쓸 수 없습니다

10쪽

숫자 카드 0, 2, 6, 8이 한 장씩 있을 때, 65보다 작은 두 자리 수를 모두 쓰시오.

0 2 6 8

20, 26, 28, 60, 62

[풀이]
68과 십의 자리 숫자가 8인 경우는 모두 65보다 큰 수입니다.

11쪽

숫자 카드로 수 만들기

□ 안에 숫자 카드 4장으로 만들 수 있는 가장 큰 두 자리 수와 가장 작은 두 자리 수를 쓰시오.

2 0 5 7

가장 큰 두 자리 수 : 75

가장 작은 두 자리 수 : 20

12쪽

탐구 유형 1-1 숫자 카드 수

[정답] (1) 가장 큰 두 자리 수 : 85
가장 작은 두 자리 수 : 23

(2) 2와 8 (3) 82, 28

[풀이]
짝수가 되려면 일의 자리에는 2와 8만 쓸 수 있습니다.

01

[정답] 25

[풀이]
홀수가 되려면 일의 자리에는 5와 7만 쓸 수 있습니다.

13쪽

02

[정답] 34, 54

[풀이]
짝수가 되려면 일의 자리에는 4만 올 수 있습니다.

03

[정답] 26

[풀이]
짝수이므로 일의 자리에는 2와 6만 올 수 있고 2는 가장 작은 수를 만들기 위해 십의 자리에 와야 합니다.

04

[정답] 91

[풀이]
홀수이므로 일의 자리에는 1와 9만 올 수 있고 9는 가장 큰 수를 만들기 위해 십의 자리에 와야 합니다.

14쪽

탐구 유형 1-2 **몇 번째로 큰 수**

[정답] (1) 54 — 53 — 52 — 45 (가장 큰 수, 두 번째 큰 수, 세 번째 큰 수, 네 번째 큰 수)

(2) 23 — 24 — 25 — 32 (가장 작은 수, 두 번째 작은 수, 세 번째 작은 수, 네 번째 작은 수)

(3) 45, 32

연습 01

[정답]

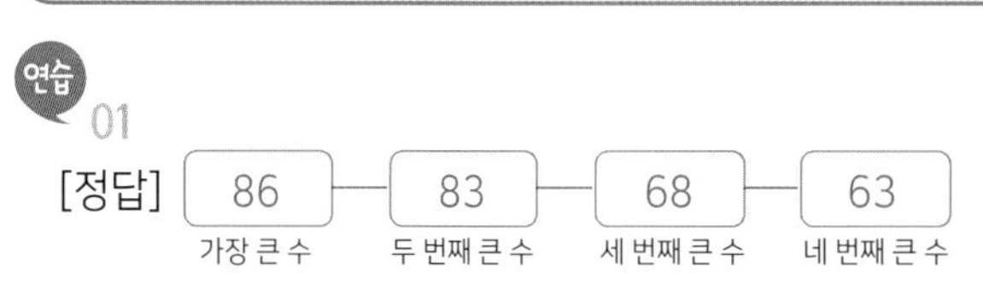

다섯 번째로 큰 수 : 38

[풀이]

다섯 번째로 큰 수는 십의 자리 숫자가 3으로 바뀌면서 일의 자리 숫자가 가장 큰 8이 되어야 합니다.

15쪽

연습 02

[정답]

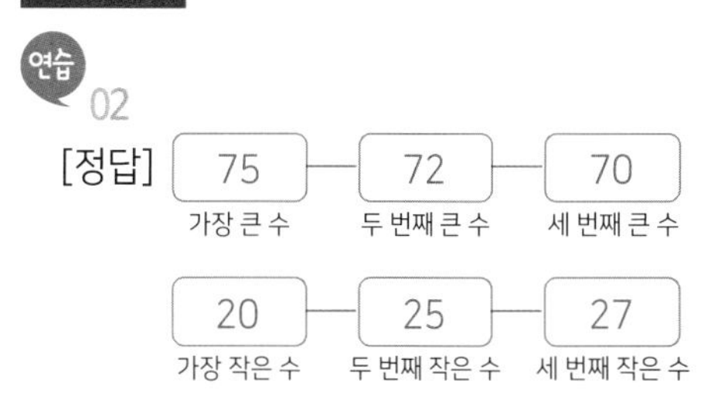

• 네 번째로 큰 수 : 57

• 네 번째로 작은 수 : 50

연습 03

[정답] 57

[풀이]

가장 큰 홀수가 75이고 두 번째로 큰 홀수가 73이므로 세 번째로 큰 홀수는 십의 자리 숫자가 5이고 일의 자리 숫자가 가장 큰 홀수인 57입니다.

16쪽

탐구 유형 1-3 **뒤집어진 숫자 카드**

[정답] (1) 8 (2) 87 (3) 27

[풀이]

가장 큰 수는 일의 자리 숫자가 8보다 작아야 하며 86보다 큰 수가 되야 합니다. 따라서 가장 큰 수는 87이고 숫자 카드의 수는 8, 7, 2, 6입니다.

연습 01

[정답] 5, 1

[풀이]

가장 큰 수는 일의 자리 숫자가 6보다 작아야 하며 64보다 큰 수가 되어야 합니다. 따라서 가장 큰 수는 65이고 가장 작은 수가 14에서 나머지 카드의 숫자는 1입니다.

17쪽

연습 02

[정답] 6

[풀이]

세 번째로 큰 수가 95이므로 빈 카드의 숫자는 5보다 크고 9보다 작은 6이나 8이 되어야 합니다. 이때, 두 번째로 작은 수가 57이므로 빈 카드의 숫자는 7보다 작은 6이 되어야 합니다.

연습 03

[정답] 40

[풀이]

숫자 카드 중 세 개의 숫자는 9, 5, 4입니다. 이때, 두 번째로 작은 수의 십의 자리 숫자가 4이므로 가장 작은 수의 십의 자리 숫자가 1, 2, 3이 될 수 없기 때문에 일의 자리 숫자가 0인 40이 되어야 합니다.

18쪽

크기를 만족하는 수

먼저 십의 자리를 비교하면서 42의 십의 자리 숫자인 4와 크기가 비슷하거나 같은 숫자를 먼저 넣어 본 것입니다. 다음 중 올바른 식에 ○표 해 보시오.

5 4 > 42   4 4 > 42   3 4 > 42

□ 안에 들어갈 수 있는 숫자를 모두 써 보시오.

4, 5, 6, 7, 8, 9

42를 44로 바꾸면 답이 어떻게 바뀝니까? □ 안에 들어갈 수 있는 숫자를 모두 찾아보시오.

□4 > 44   5, 6, 7, 8, 9

□ 안에 들어갈 수 있는 숫자에 모두 ○표 하시오.

(1) 24 > □1   0 ① ② 3 4 5 6 7 8 9

(2) 5□ > 56   0 1 2 3 4 5 6 ⑦ ⑧ ⑨

[풀이]

(1) 24 > 21이 성립하므로 0을 제외한 2보다 작은 숫자가 모두 들어갈 수 있고 2도 들어갈 수 있습니다.

(2) 56 > 56이 성립 안되므로 6보다 큰 숫자가 모두 들어갈 수 있는데 6은 들어갈 수 없습니다.

19쪽

동화책과 과학책의 개수를 비교했습니다. □ 안에 들어갈 수 있는 숫자에 모두 ○표 하시오.

□4 > 25 (동화책, 과학책)   0 1 2 ③ ④ ⑤ ⑥ ⑦ ⑧ ⑨

위인전과 동화책의 개수를 비교했습니다. □ 안에 들어갈 수 있는 숫자에 모두 ○표 하시오.

43 > □4 (위인전, 동화책)   0 ① ② ③ 4 5 6 7 8 9

동화책의 개수가 과학책보다는 많고 위인전보다는 적으려면 동화책의 개수는 몇 권이 되야 합니까? 34권

[풀이]

두 식에서 □ 안에 모두 들어갈 수 있는 숫자는 3입니다.

20쪽

탐구 유형 2-1 크기에 알맞은 숫자

[정답] (1) 1, 2, 3, 4   (2) 4, 5, 6, 7, 8, 9

(3) 4

[풀이]

두 자리 수이기 때문에 0을 제외하고 숫자를 하나씩 넣어 보면서 넣을 수 있는 같은 숫자를 찾습니다.

연습 01

[정답] 6, 7, 8, 9

[풀이]

□ 안에 5를 넣었을 때, 53 > 55가 성립하지 않으므로 □ 안에는 5보다 큰 숫자가 들어가야 합니다.

21쪽

연습 02

[정답] 5, 6, 7, 8, 9

[풀이]

□ 안에 5를 넣었을 때, 57 > 55가 성립하므로 □ 안에는 5와 5보다 큰 숫자가 들어가야 합니다.

연습 03

[정답] 4, 5, 6

[풀이]

□6 > 44에서 □는 4, 5, 6, 7, 8, 9가 성립하고 27 > 2□에서 □는 6, 5, 4, 3, 2, 1, 0이 성립하므로 □ 안에 넣을 수 있는 같은 숫자는 4, 5, 6입니다.

22쪽

탐구 유형 2-2 **지워진 숫자**

[정답] (1) 2, 1 (2) 32 > [2]6 > [1]8

[풀이]
□6 > □8에서 □6이 26일 때는 26 > 18로 만족하는 수를 찾을 수 있지만 □6이 16일 때는 만족하는 두 자리 수 □을 만들 수 없습니다.

23쪽

1

[정답] (1) 0 1 2 3 ④ ⑤ ⑥ 7 8 9

(2) 0 1 2 ③ ④ ⑤ 6 7 8 9

(3) 0 1 2 3 4 ⑤ ⑥ ⑦ 8 9

2

[정답] (1) 33 > [2]4 > [1]5

(2) [9]2 > [8]3 > 73

24쪽

01

[정답] 86 - 84 - 81 - 68 - 64

86	84	81	68	64
1번째로 큰 수	2번째로 큰 수	3번째로 큰 수	4번째로 큰 수	5번째로 큰 수

[풀이] 사용한 숫자 카드 4장의 숫자는 8, 6, 1, 4입니다.

02

[정답] 6, 7

[풀이]
첫 번째 식에서 □ 안에 넣을 수 있는 수는 6, 7, 8, 9이고, 두 번째 식에서 □ 안에 넣을 수 있는 수는 5, 6, 7이므로 두 식의 □ 안에 모두 넣을 수 있는 수는 6, 7입니다.

25쪽

03

[정답]

요일	월요일	화요일	수요일	목요일	금요일
횟수	[2]9	38	55	[4]6	26

[풀이]
요일 순서대로 55 > □6 > 38 > □9 > 26이 되어야 합니다.

04

[정답] 0

[풀이] 2 ㉠ 5 4

뒤집어진 카드의 숫자를 ㉠이라고 했을 때, 세 번째로 큰 수는 5㉠이 되어야 합니다. 따라서, ㉠은 2보다 작은 0 또는 1인데 1이 되면 두 번째로 작은 수가 24가 될 수 없습니다.

2. 조건에 맞는 수

27쪽

생각열기

수 수수께끼

백판 수 배열표를 활용하여 □ 안에 깜이가 생각한 수를 써넣으시오.

1	2	3	4	5	6	7	8	9	10
11	12	13	14	15	16	17	18	19	20
21	22	23	24	25	26	27	28	29	30
31	32	33	34	35	36	37	38	39	40
41	42	43	44	45	46	47	48	49	50
51	52	53	54	55	56	57	58	59	60
61	62	63	64	65	66	67	68	69	70
71	72	73	74	75	76	77	78	79	80
81	82	83	84	85	86	87	88	89	90
91	92	93	94	95	96	97	98	99	100

조건에 맞지 않는 수는 /로 지워가면서 찾아야 겠어!!

➔ 깜이가 생각한 수 : 88

문제를 간편하게 해결하기 위해 가장 먼저 따져 봐야 하는 냥이의 질문은 무엇입니까?

80보다 크고 100보다 작은 수인가를 묻는 질문을 가장 먼저 따져 보면 다음으로 따져 봐야 하는 수의 개수가 많이 줄어듭니다.

28쪽

아래의 조건에 모두 해당하는 수를 구하시오. 16

① 두 자리 수입니다.
② 짝수입니다.
③ 십의 자리 숫자와 일의 자리 숫자의 합이 7입니다.
④ 30보다 작은 수입니다.

[풀이]
④의 '30보다 작은 수입니다'라는 조건을 가장 먼저 따져 보면 두 자리 수이므로 11부터 29까지만 살펴보면 됩니다. 십의 자리 숫자와 일의 자리 숫자의 합이 7인 수는 16과 25가 있는데 이 중 짝수는 16입니다.

29쪽

탐구주제 1 조건에 맞는 수

십의 자리 숫자가 각각 4, 5, 6일 때, 십의 자리 숫자가 일의 자리 숫자보다 작은 두 자리 수를 모두 구하시오.

십의자리숫자가4일때: 46, 47, 48, 49
십의자리숫자가5일때: 56, 57, 58, 59
십의자리숫자가6일때: 67, 68, 69

구한 수는 모두 몇 개입니까? 11개

30쪽

31에서 61까지의 수 중에서 십의 자리 숫자가 일의 자리 숫자보다 큰 수는 모두 몇 개인지 구하시오.

13개

[풀이]
십의 자리 숫자가 3, 4, 5, 6일 때, 조건을 따져 봅니다.
십의 자리 숫자가 3일 때 : 31, 32
십의 자리 숫자가 4일 때 : 40, 41, 42, 43
십의 자리 숫자가 5일 때 : 50, 51, 52, 53, 54
십의 자리 숫자가 6일 때 : 60, 61
이때 31부터 61까지의 수이므로 30은 조건을 만족하지 않습니다.

31쪽

탐구 유형 1-1 **두 자리 숫자의 합**

[정답] (1) • 0과 8 → 만들 수 있는 두 자리 수 : 80
• 1과 7 → 만들 수 있는 두 자리 수 : 17, 71
• 2와 6 → 만들 수 있는 두 자리 수 : 26, 62
• 3과 5 → 만들 수 있는 두 자리 수 : 35, 53
• 4와 4 → 만들 수 있는 두 자리 수 : 44

(2) 8개

01

[정답] 9개

[풀이]
합이 9가 되는 두 수를 찾아 만들 수 있는 두 자리 수를 모두 쓰면 18, 81, 27, 72, 36, 63, 45, 54, 90으로 모두 9개입니다.

32쪽

02

[정답] 42, 84

[풀이]
십의 자리 숫자가 일의 자리 숫자보다 2배인 수는 21, 42, 63, 84 입니다. 이때, 짝수는 42와 84입니다.

03

[정답] 4개

[풀이]
십의 자리 숫자가 각각 1, 2, 6일 때 조건을 만족하는 두 자리 수를 찾아봅니다.
십의 자리 숫자가 1일 때 : 11, 15
십의 자리 숫자가 2일 때 : 20
십의 자리 숫자가 6일 때 : 60

33쪽

탐구 유형 1-2 두 조건을 만족하는 수

[정답] (1) • 십의 자리 숫자가 1일 때 : 10, 12
• 십의 자리 숫자가 2일 때 : 21, 23
• 십의 자리 숫자가 3일 때 : 32, 34
• 십의 자리 숫자가 4일 때 : 43, 45
(2) 8개

01

[정답] 25, 52

[풀이]
십의 자리 숫자와 일의 자리 숫자의 합이 7인 수를 모두 구하면 16, 25, 34, 43, 52, 61, 70인데 이 중 십의 자리 숫자와 일의 자리 숫자의 차가 3인 수는 25, 52가 있습니다.

34쪽

02

[정답] 79

[풀이]
70보다 크고 80보다 작은 수의 조건에서 홀수는 71, 73, 75, 77, 79입니다. 이때, 십의 자리 숫자가 일의 자리 숫자 보다 작은 수는 79입니다.

03

[정답] 57

[풀이]
50보다 큰 수에서 십의 자리 숫자와 일의 자리 숫자의 합이 12인 수는 57, 66, 75, 84, 93입니다. 이때, 십의 자리 숫자와 일의 자리 숫자를 바꾸면 더 큰 수가 되는 수는 57입니다.

35쪽

탐구 유형 1-3 큰 수, 작은 수

[정답] (1) 5, 4, 3, 2, 1 (2) 5, 6, 7, 8, 9 (3) 5

[풀이]
빨간색 상자에 수를 넣으면 더 큰 수가 나오므로 두 번째 빨간색 상자의 6보다는 작은 수가 되어야 하고, 파란색 상자는 더 작은 수가 나오므로 세 번째 파란색 상자의 4보다는 큰 수가 되어야 합니다. 따라서, 두 상자에 모두 넣을 수 있는 수는 5입니다.

01

[정답] 6

[풀이]
㉡은 7보다는 작아야 하고 5보다는 큰 수이므로 6이 되어야 합니다.

36쪽

02

[정답] 7

[풀이]
오른쪽 카드의 수가 더 큰 수이므로 8보다 작은 수이고 왼쪽 카드의 수가 작은 수이므로 6보다 큰 수가 되어야 합니다. 따라서 뒤집어 놓은 카드에 쓰여진 숫자는 7입니다.

03

[정답] 5

[풀이]
□ 안의 수는 6보다 작고 4보다 큰 수이므로 5가 됩니다.

37쪽

탐구주제 2 수 수수께끼

탐구 유형 2-1 설명하는 수 찾기

[정답] (1) 28, 80, 66

(2)  : 66   : 80 (3)  : 28

[풀이]
각자 카드 하나씩을 가지고 있어야 하므로 개구리의 조건에 맞는 수 중에서 66과 80을 제외한 28이 개구리가 가지고 있는 카드의 수입니다.

38쪽

01

[정답] 가희 라율 다정 나경

[풀이]
나경의 조건에 맞는 수는 26이거나 44, 가희는 11이거나 44, 라율은 26이거나 32인데 다정이 32이므로 라율은 26, 나경은 44, 가희는 11이 되어야 합니다.

02

[정답] 74 27  57  46  37

[풀이]
깜이가 찾는 수는 57, 46중 하나이고 냥이가 찾는 수는 46이므로 깜이가 찾은 수는 57, 냥이가 찾는 수는 46입니다.

39쪽

탐구 유형 2-2 있다 없다 수수께끼

[정답] (1) 5, 8 (2) 5

[풀이]
첫 번째와 세 번째 모두 있다고 한 수는 5와 8인데 이 중 두 번째 질문에서 8이 없는 수이므로 냥이가 생각한 수는 5입니다.

01

[정답] 9

[풀이]
두 번째와 세 번째에서 3과 9는 모두 있는 수인데 이 중 첫 번째에서 3이 없는 수이므로 찾으려는 수는 9입니다.

40쪽

연습 02

[정답] 5

[풀이]
1, 5, 9가 두 질문 모두에 잇는 수인데 이 중 1과 9는 없는 수이므로 깜이가 생각한 수는 5입니다.

연습 03

[정답] 1

[풀이]
냥이가 양쪽 모두 있다고 한 수는 1과 5인데 5는 없다고 한 수 중에 있으므로 1이 냥이가 찾는 수입니다.

41쪽

탐구 유형 2-3 가로세로 수 퍼즐

[정답]

㉠5		①2	㉣5	
0			②5	㉤3
	㉡7			6
	③1	㉢9		
		④4	7	

[풀이]
가로줄과 세로줄 중 확실하게 답이 나오는 수를 먼저 계산합니다. 세로 줄 ㉡, ㉣과 같은 경우는 가로줄 ③번, ①번을 먼저 해결해야 알 수 있습니다.

42쪽

01

[정답] ④

[풀이]
첫 번째 조건에서 십의 자리 숫자보다 일의 자리 숫자가 5 큰 수는 16, 27, 38, 49인데 이 중 홀수는 27과 49입니다. 이때, □ 안의 수가 49보다 크면 조건을 만족하는 수가 27, 49입니다.

02

[정답]  82  28  68  31  75

[풀이]
나 꿀벌의 조건에 해당하는 수는 82, 31, 75인데 가 꿀벌의 조건에 해당하는 수는 31이고 다 꿀벌의 조건에 해당하는 수는 75입니다. 따라서 나 꿀벌이 센 꽃은 82송이입니다.

43쪽

03

[정답] 4, 5, 6

[풀이]
3, 5, 6에서 2개, 4, 5, 8에서 2개가 있으므로 5는 냥이가 생각한 숫자 중 하나입니다. 마지막 질문의 4, 6, 7에서 3, 5, 6과 4, 5, 8의 각각 똑같은 숫자를 한 개씩 고르면 나머지 숫자는 4와 6입니다.

04

[정답] 36

[풀이]
두 번째와 세 번째 조건에서 십의 자리의 숫자가 4보다 커지면 일의 자리의 숫자가 더 커야 하는데 자릿수의 합이 10이 넘기 때문에 십의 자리의 숫자가 5보다 작아야 합니다. 이 때, 십의 자리와 일의 자리의 차가 2보다 큰 수는 14, 15, 16, 17, 18, 25, 26, 27, 36이므로 가장 큰 수는 36입니다.

3. 모양 겹치기

45쪽

돌리거나 뒤집어서 모양 겹치기

다음 두 투명 종이를 겹쳐서 색칠된 칸이 가장 많도록 할 때, 몇 칸이 색칠됩니까? 단, 두 투명 종이 모두 뒤집지 않습니다.

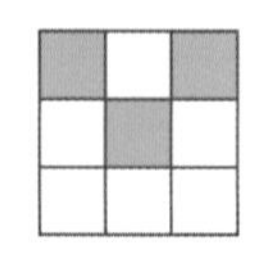 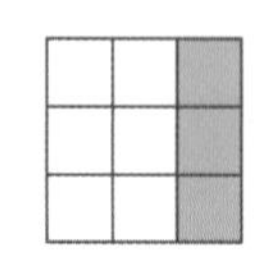

6칸

[풀이]

아래와 같이 놓은 상태에서 겹치면 모두 6칸이 겹쳐집니다.

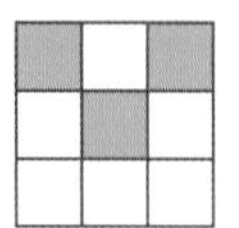 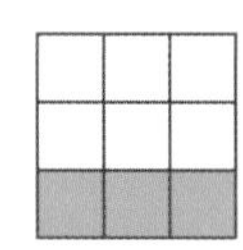 → 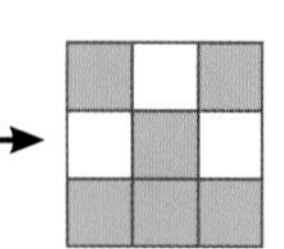

6칸

46쪽

다음 두 투명 종이를 겹쳐서 색칠된 칸이 가장 적도록 할 때, 몇 칸이 색칠됩니까? 단, 두 투명 종이 모두 뒤집지 않습니다.

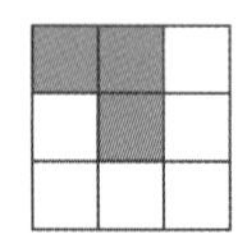 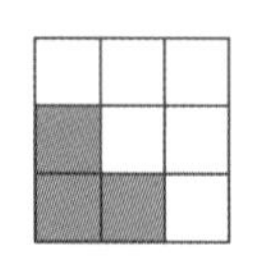

4칸

[풀이]

아래와 같이 놓은 상태에서 겹치면 가장 적게 4칸으로 겹칠 수 있습니다.

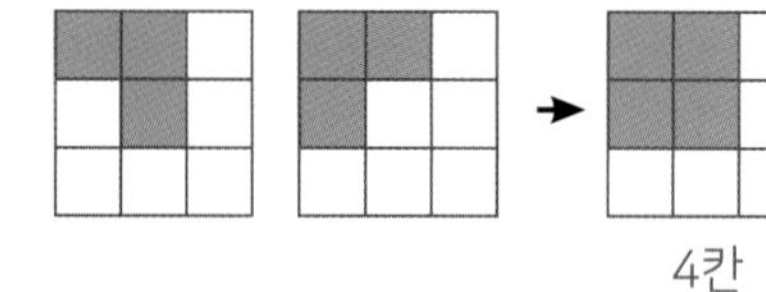

4칸

47쪽

색이 같게 겹쳤을 때 어떤 모양이 나오는지 그려보시오.

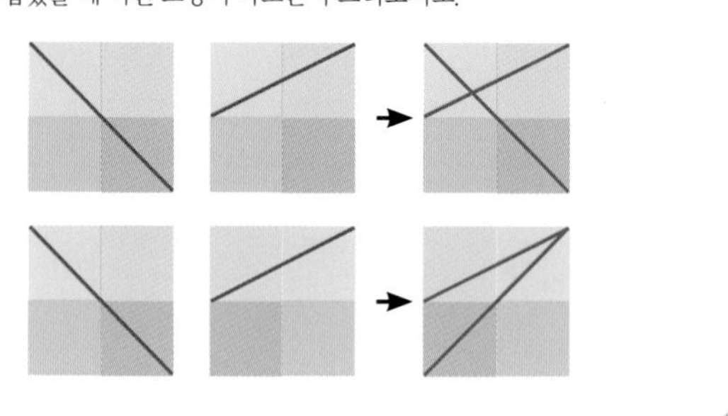

[풀이]

위의 모양은 그대로 겹친 모양을 그리면 되고 아래 모양은 왼쪽 모양의 좌우를 뒤집어서 그려야 합니다.

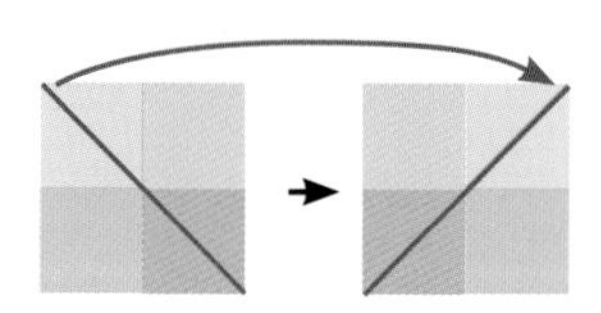

48쪽

겹친 모양이 되도록 빈 곳에 알맞은 모양을 그리시오. 단, 두 투명 종이의 선이 겹치지는 않습니다.

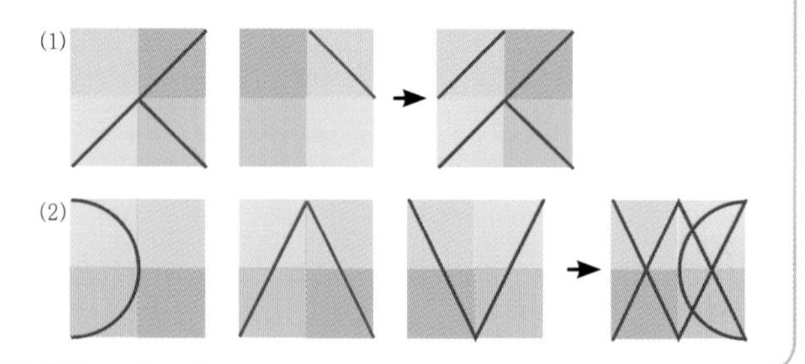

[풀이]

(1) 모양에서 모양을 제외하면 모양이 남는데 빈 곳의 모양이 뒤집기 전 모양을 그려야 합니다.

(2) 모양에서 뒤집은 모양과 모양을 제외하면 모양이 남는데 빈 곳의 모양이 뒤집기 전 모양을 그려야 합니다. 참고로 가운데 모양은 뒤집어지기 전과 후의 모양이 같습니다.

49쪽

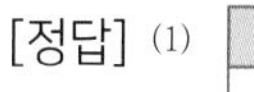

탐구주제 1 모양 겹치기

탐구 유형 1-1 색칠된 칸의 개수

[정답] (1) 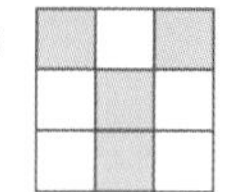 (2) 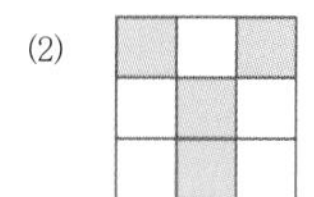

[풀이]
가와 나 투명 종이는 다음과 같은 방법으로 겹치면 색칠된 칸이 가장 적습니다.

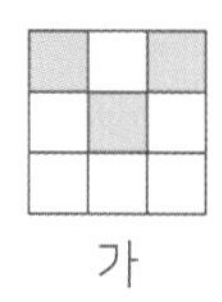
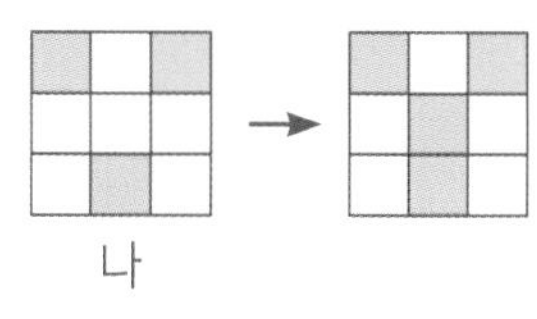

다를 추가로 겹쳐도 모양이 변하지 않습니다.

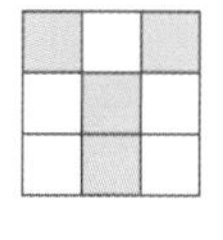
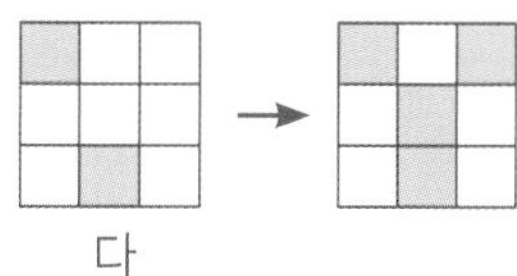

50쪽

연습 01

[정답] 8칸

[풀이]
다음과 같이 두 모양을 색칠된 칸이 많도록 먼저 겹치고, 나머지 모양을 겹칩니다.

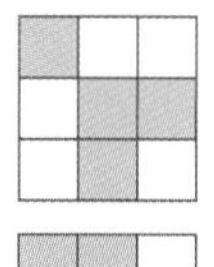
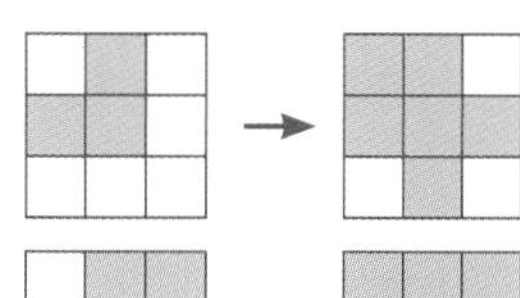
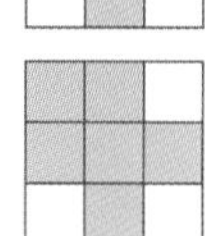
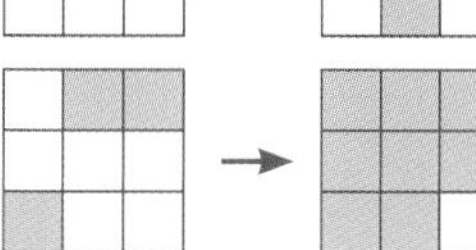

연습 02

[정답] 6칸

[풀이]
오른쪽 모양을 다음과 같이 돌려서 겹치면 가장 많은 6칸이 색칠됩니다.

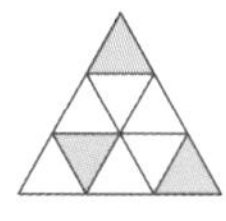
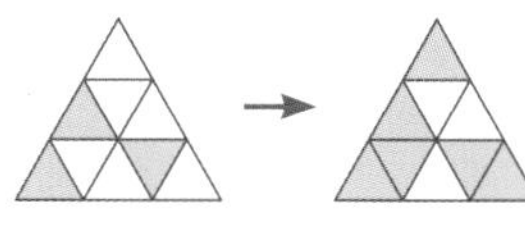

6칸

51쪽

탐구 유형 1-2 모양 겹치기

[정답] (1)

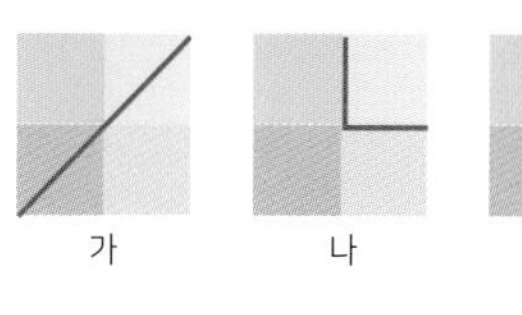

(2)

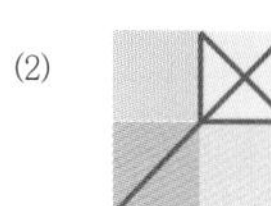

[풀이]
가는 그대로 그리고 나는 왼쪽이나 오른쪽으로 뒤집은 모양을 그리고 다는 위나 아래로 뒤집은 모양을 그립니다.

52쪽

연습 01

[정답]

[풀이]
모두 색이 같아지도록 뒤집은 다음 겹칩니다.

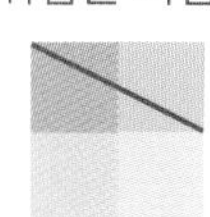

연습 02

[정답]

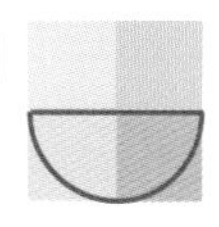

[풀이]
세 투명 종이를 겹친 모양에서 첫 번째와 세 번째 모양을 없애고 나면 다음과 같은 모양만 남습니다. 원래 모양은 이 모양을 위나 아래로 뒤집은 모양을 그립니다.

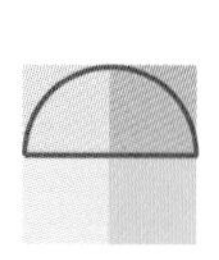

53쪽

2 겹쳐진 부분의 모양과 개수

다음 중 2장의 종이를 골라 겹쳤더니 종이가 두 겹으로 겹쳐진 부분의 모양이 다음과 같습니다. 겹친 두 종이에 ○표 하시오.

[풀이]

두 종이를 다음과 같이 겹치면 겹쳐진 부분의 모양이 나옵니다.

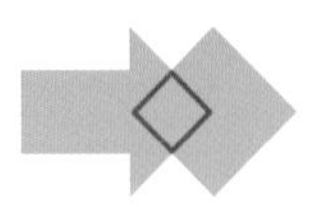

54쪽

두 모양을 겹쳤을 때, 나누어지는 부분이 4개가 되도록 겹친 모양을 그리시오.

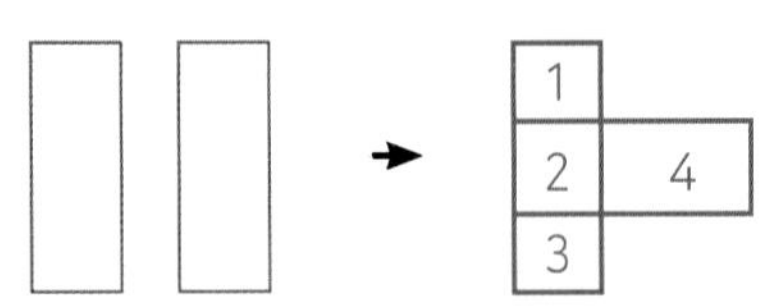

여러 가지 방법이 있습니다.

55쪽

탐구 유형 2-1 **종이 접어 겹치기**

[정답] (1) (2) (3) (4)

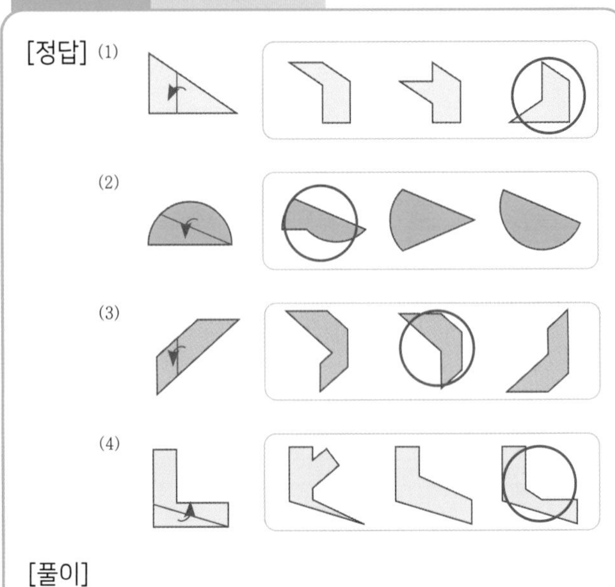

[풀이]

(3) 모양은 접힌 모양을 잘 관찰해서 첫 번째 모양으로 생각하지 않도록 유의 합니다.

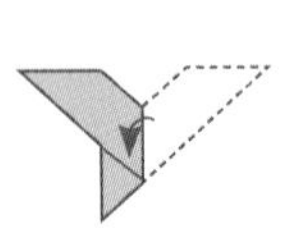

56쪽

연습 01

[정답] (1)

(2)

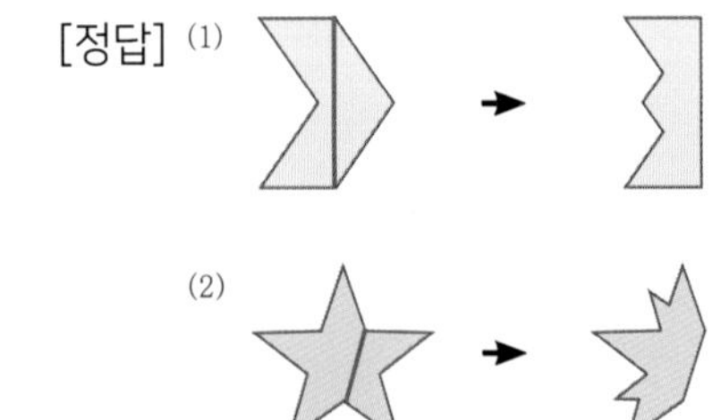

연습 02

[정답] 4개

[풀이]

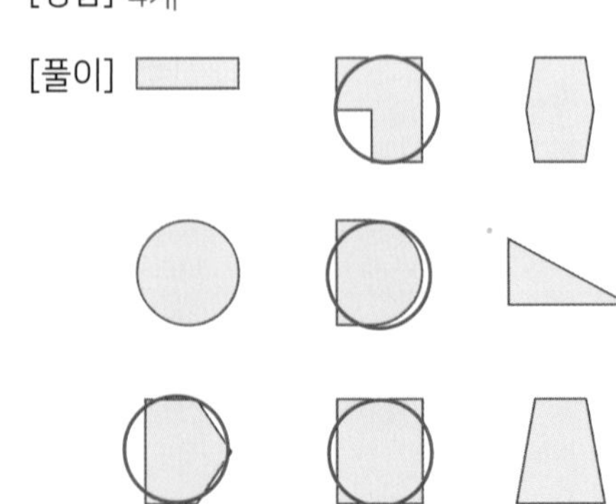

57쪽

탐구 유형 2-2 **겹쳐진 부분의 모양**

[정답] (1)

(2)

(3)

(4)

(5)

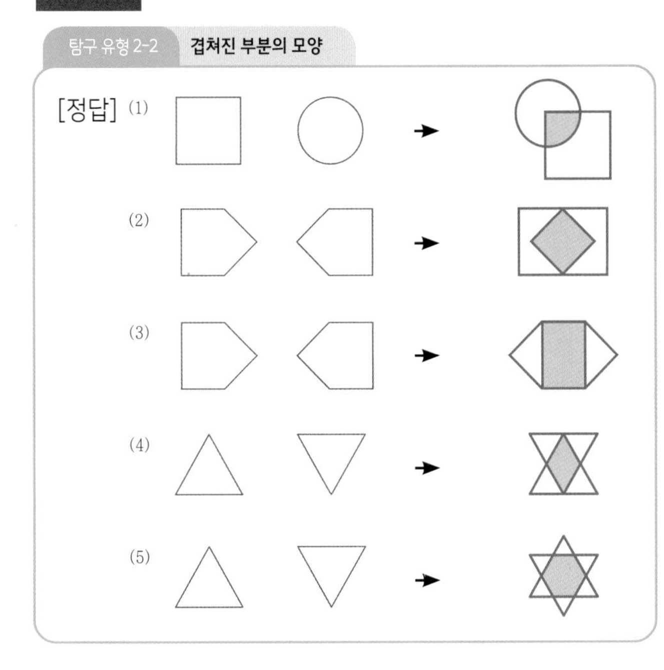

58쪽

1

[정답]

 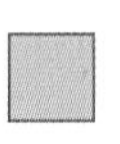 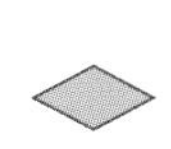 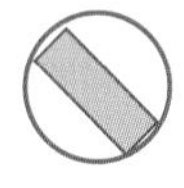  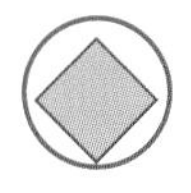

[풀이]

겹치는 두 모양과 겹쳐진 부분의 선이 같아야 합니다.

2

[정답] ②, ④

[풀이]

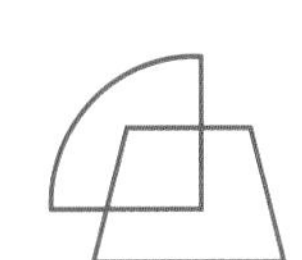

59쪽

탐구 유형 2-3 **겹쳐서 나누기**

[정답] 9부분

[풀이]

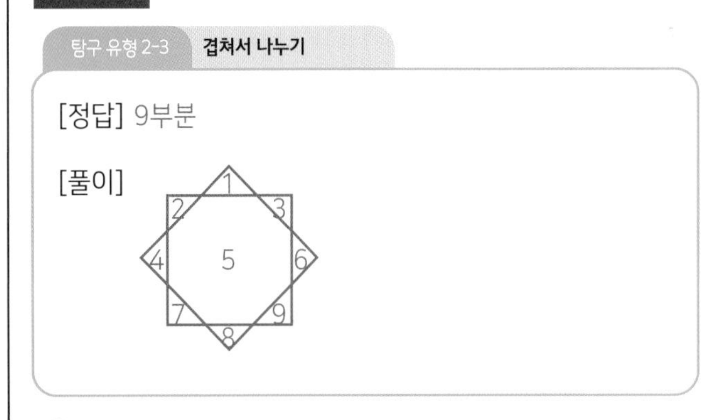

연습 1

[정답]

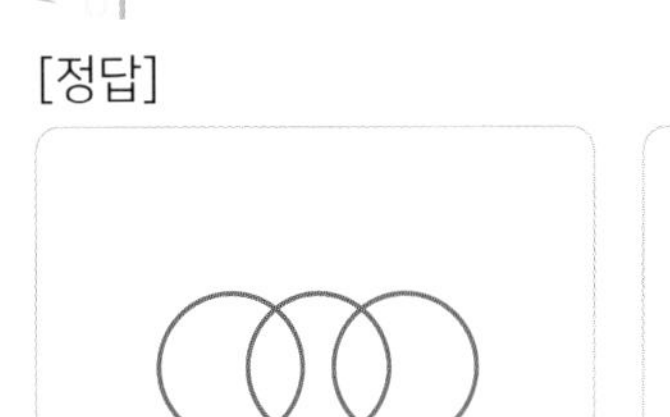

5부분

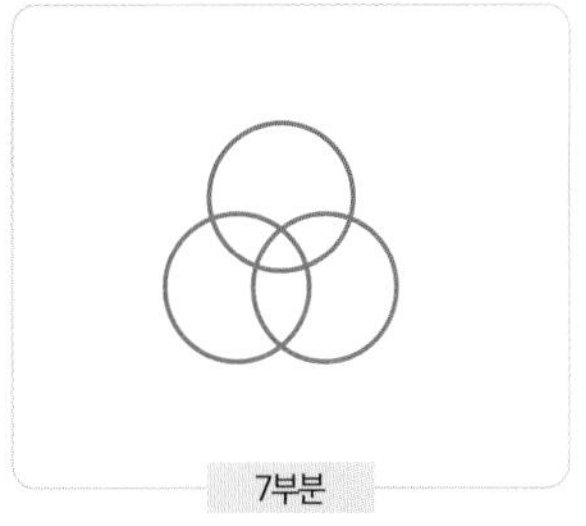

7부분

여러 가지 방법이 있습니다.

60쪽

01
[정답] 7칸

[풀이] 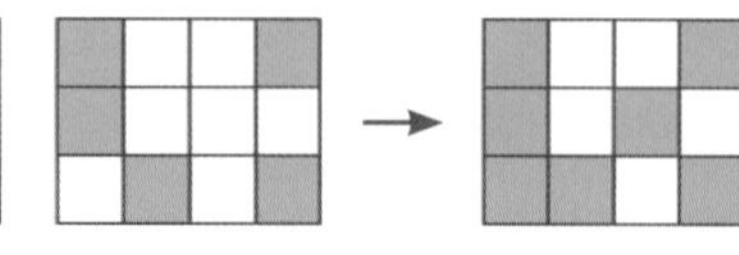

02
[정답] 5부분

[풀이]

두 번째 투명 종이를 돌려서 ● 모양의 위치가 같게 겹치면 다음과 같습니다.

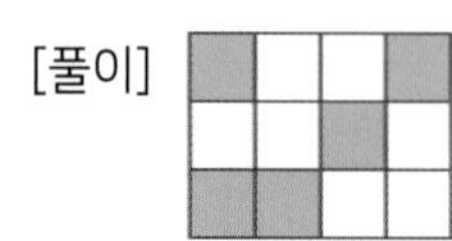

61쪽

03
[정답] 7부분

[풀이]

3개의 네모 모양을 다음과 같이 겹치면 7부분으로 나누어집니다.

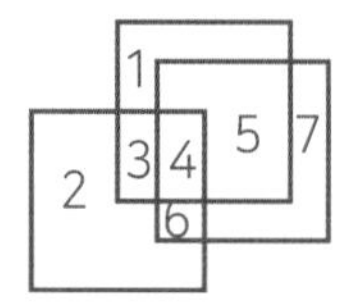

여러 가지 방법이 있습니다.

04
[정답] 4개

[풀이]

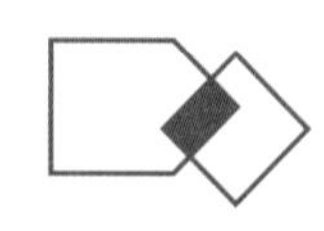
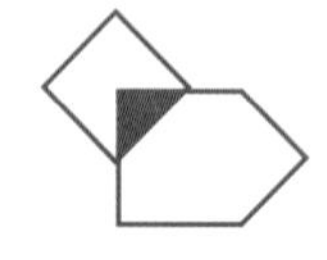
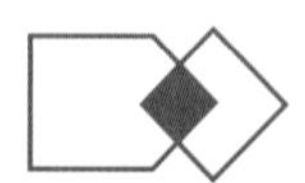

4. 모양의 개수

63쪽

뚫린 구멍의 개수

펼쳤을 때, 접는 선 반대편에 생기는 ○ 모양의 위치를 직접 그려 보시오. ○ 모양은 모두 몇 개가 됩니까?

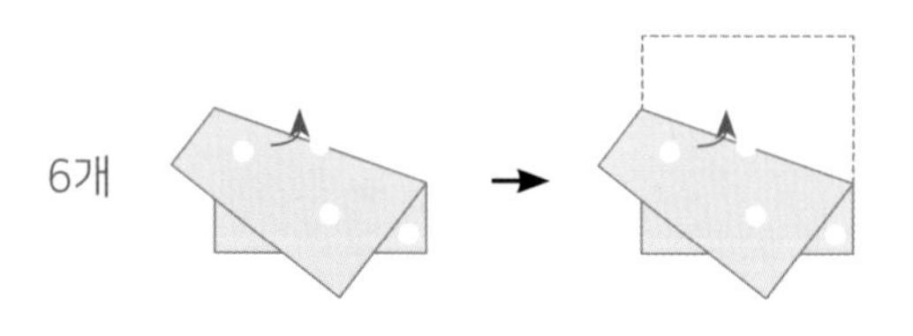

[풀이]

종이를 펼치면 다음과 같이 모두 6개의 ○모양이 생깁니다.

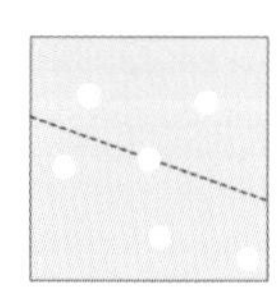

64쪽

색종이를 뒤로 접어서 색칠한 곳에 구멍을 뚫으려고 합니다. 색종이를 화살표 방향으로 펼쳤을 때, 접는 선 반대쪽에 생기는 구멍을 ○로 그리시오.

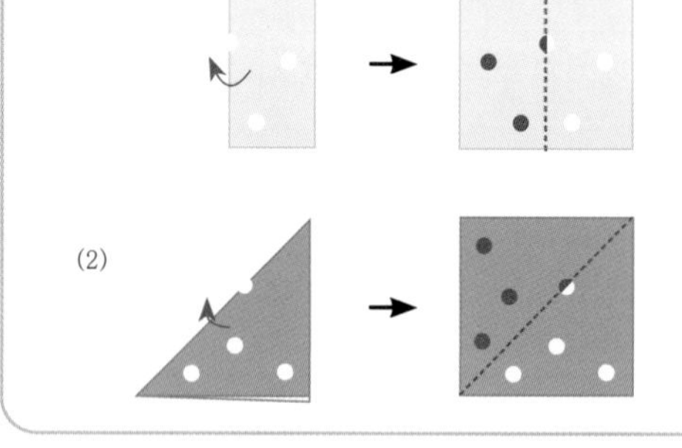

[풀이]

접는 선을 기준으로 모두 같은 거리에 있도록 그립니다.

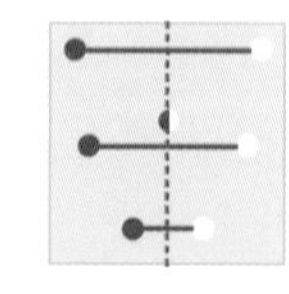
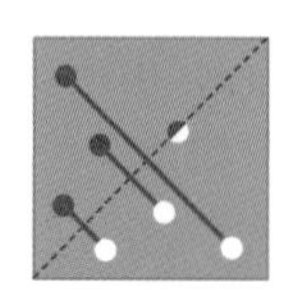

65쪽

보기 와 같이 색종이를 화살표 방향으로 접은 다음 ●자리에 구멍을 뚫고 다시 펼쳤을 때, 생기는 구멍을 ○로 모두 그리시오.

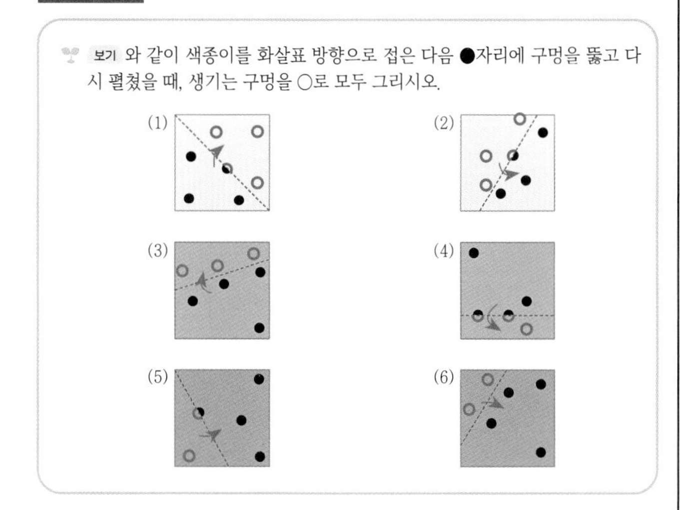

66쪽

탐구 유형 1-1 색종이 접어 자르기

[정답] (1)

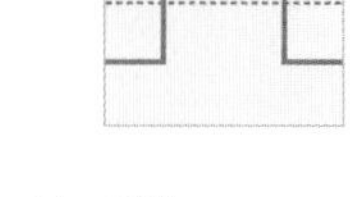

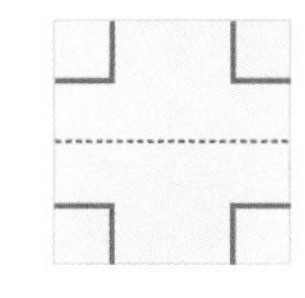

(2) 2개

[풀이]

자른 선은 똑같지만 접는 방향에 따라 노란색 색종이는 3개, 파란색 색종이는 5개로 나누어집니다.

연습 01

[정답]

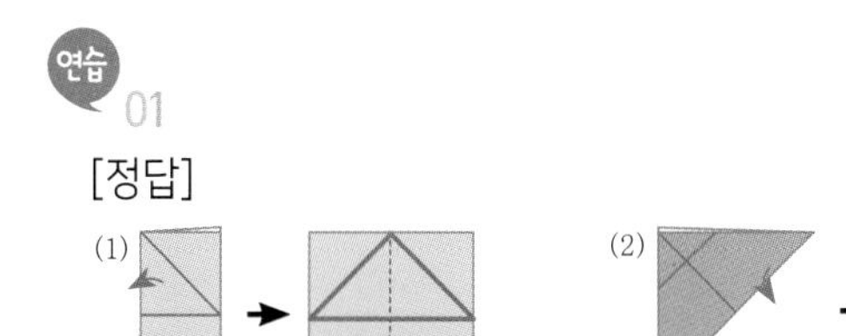

(1) 4 조각　　(2) 6 조각

67쪽

02

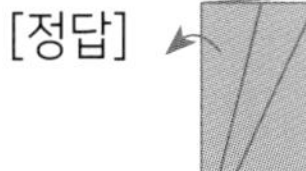

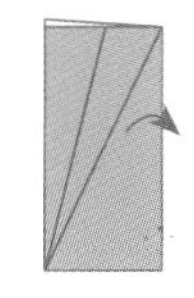

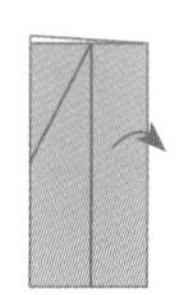

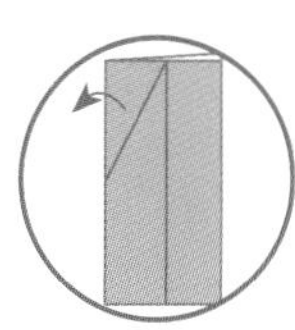

[풀이]

펼쳤을 때의 자르는 선과 나누어지는 조각의 개수는 다음과 같습니다.

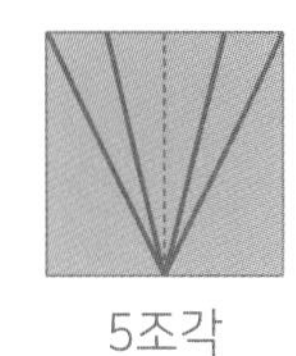

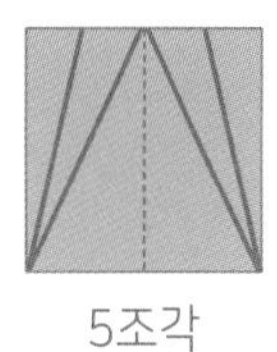

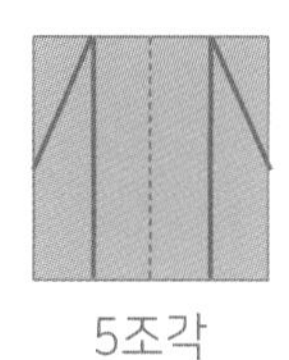

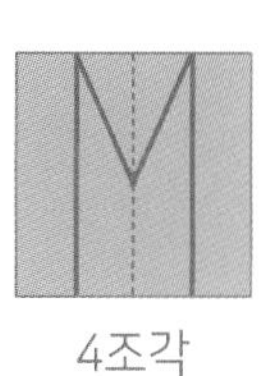

5조각　5조각　5조각　4조각

연습 03

[정답] (1) 9　　(2) 5

[풀이]

(1) 5+4=9(조각)　　(2) 2+3=5(조각)

68쪽

탐구 유형 1-2 여러 가지 모양 접어 자르기

[정답] (1)

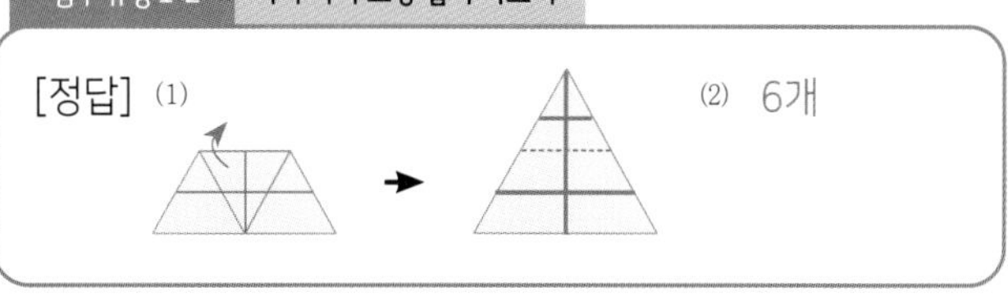

(2) 6개

01

[정답] (1) 3개　　(2) 5개

[풀이]

종이를 펼쳤을 때의 잘라지는 선을 그려 봅니다.

(1)

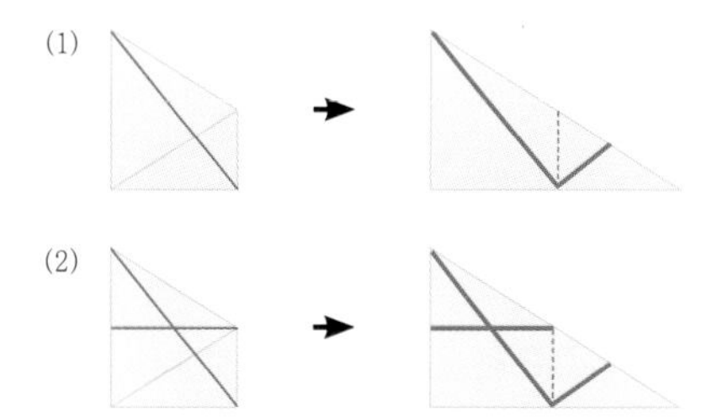

(2)

69쪽

02

[정답] 3개

[풀이]

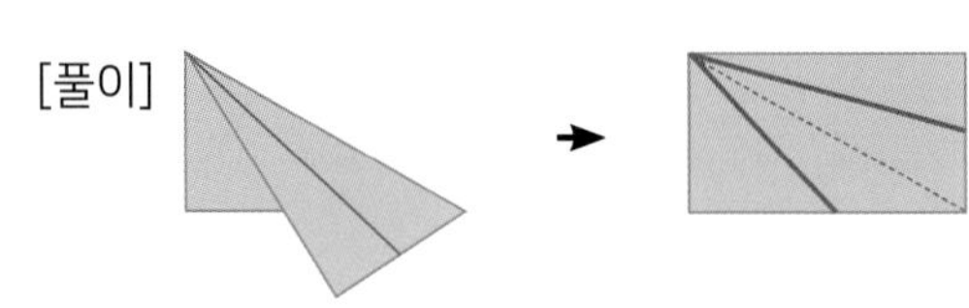

03

[정답] 나

[풀이]

가는 5조각, 나는 3조각, 다는 4조각으로 나누어집니다.

70쪽

탐구주제 2 선 그려 자르기

탐구 유형 2-1 **개수대로 자르기**

[정답]

3조각 4조각

[풀이]

두 선이 만나지 않으면 3조각, 만나도록 그으면 4조각으로 나누어집니다.

연습 01

[정답]

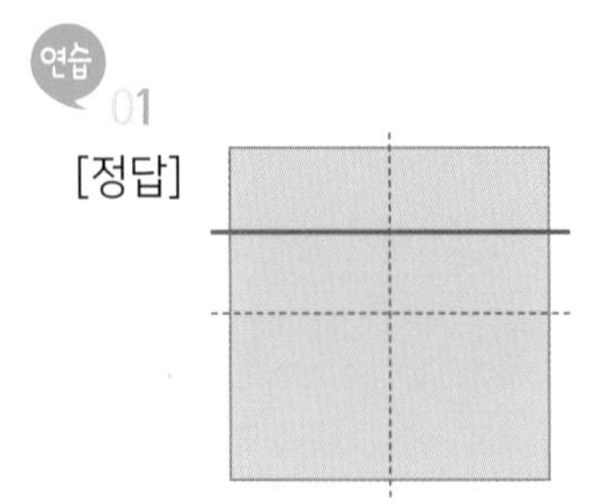

[풀이]

더 그리는 선이 두 개의 선을 모두 만나지 않으면 5조각, 두 개의 선 중 하나만 만나게 그으면 6개의 조각으로 나누어집니다.

71쪽

02

[정답]

4조각

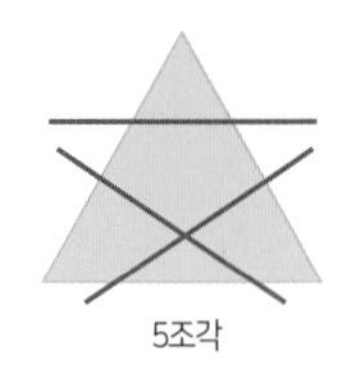

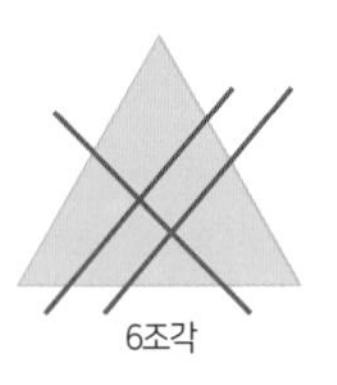

여러 가지 방법이 있습니다.

[풀이]

선이 많이 만날수록 조각의 수도 많아집니다.

연습 03

[정답]

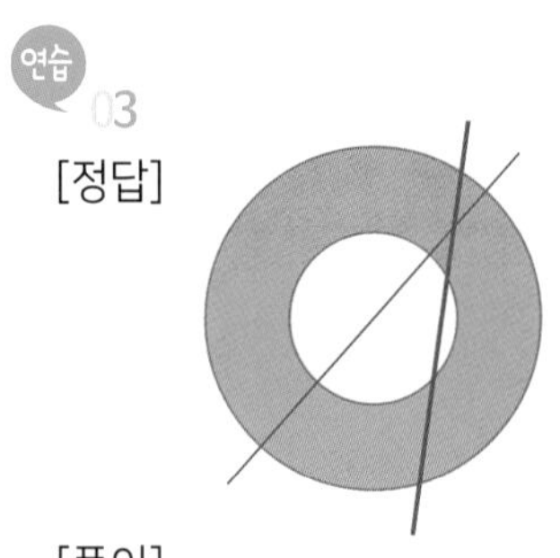

[풀이]

두 선이 만나면서 5조각으로 나누어지는 방법을 찾습니다.

72쪽

탐구 유형 2-2 **많은 조각 만들기**

[정답]

조각의 개수 - 13 개

[풀이]

4개의 선까지 만나도록 선을 그을 수 있습니다. 이때 나누어지는 조각의 개수를 세어 보면 13개입니다.

01

[정답] 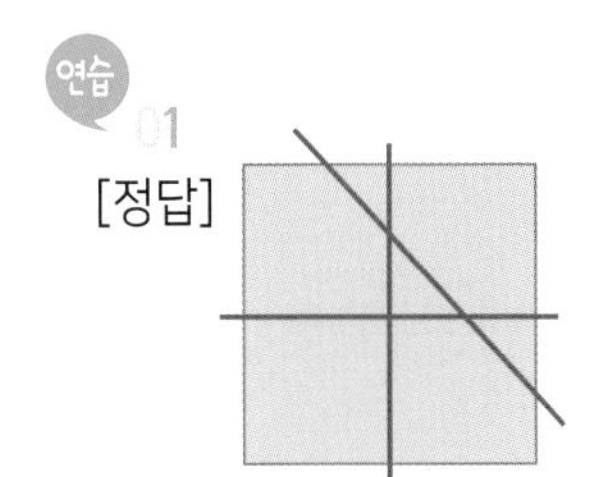 여러 가지 방법이 있습니다.

조각의 개수 - 7 개

[풀이]

모든 선이 만나도록 선을 3개 그리면 모두 7개의 조각으로 나누어집니다.

73쪽

탐구주제 3 크고 작은 모양의 개수

다음 모양에서 선을 따라 그릴 수 있는 크고 작은 세모 모양은 모두 몇 개인지 구하시오.

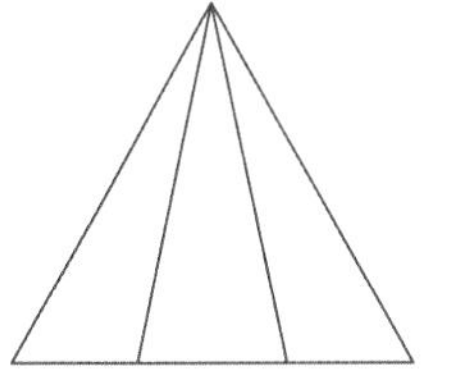

6개

[풀이]

세모 1개의 모양 : 3개

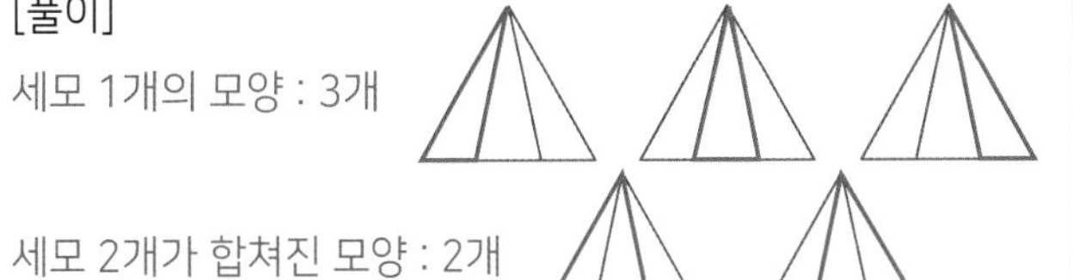

세모 2개가 합쳐진 모양 : 2개

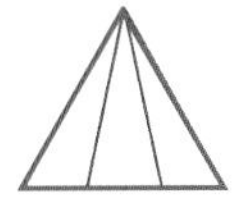

세모 3개가 합쳐진 모양 : 1개

74쪽

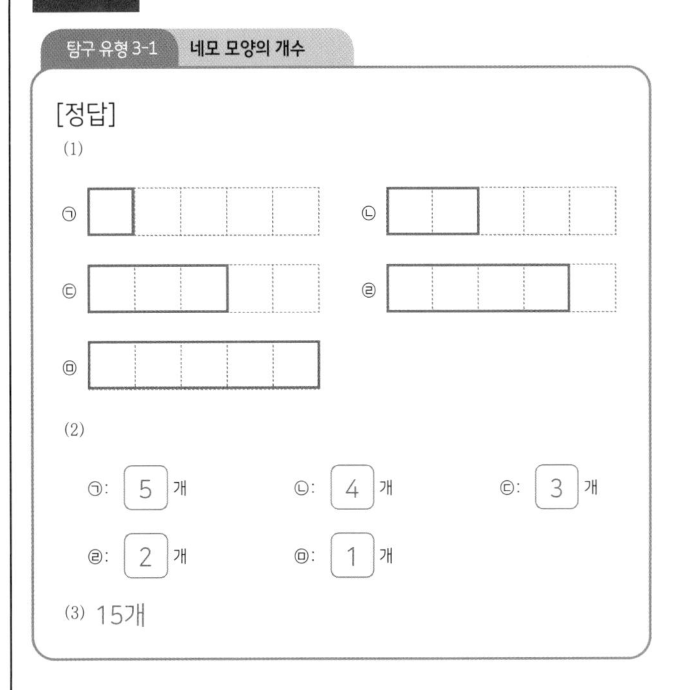

탐구 유형 3-1 네모 모양의 개수

[정답]

(1)

㉠ ㉡ ㉢ ㉣ ㉤

(2)

㉠: 5 개 ㉡: 4 개 ㉢: 3 개

㉣: 2 개 ㉤: 1 개

(3) 15개

75쪽

01

[정답] 8개

[풀이]

모양 : 4개

모양 : 3개

모양 : 1개

02

[정답] 18개

[풀이]

□ 한 칸의 모양 : 6개

□ 두 칸의 모양 : 7개(가로 두 칸 모양 4개, 세로 두 칸 모양 3개)

□ 세 칸의 모양 : 2개

□ 네 칸의 모양 : 2개

□ 여섯 칸의 모양 : 1개

76쪽

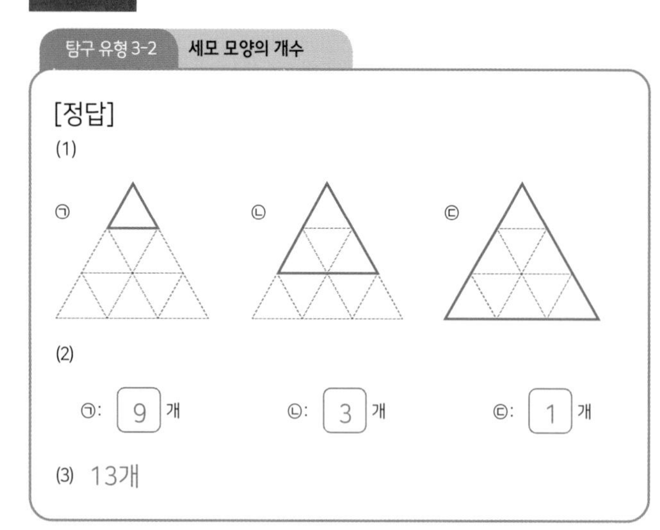

탐구 유형 3-2 세모 모양의 개수

[정답]

(1)

㉠ ㉡ ㉢

(2)

㉠: 9 개 ㉡: 3 개 ㉢: 1 개

(3) 13개

77쪽

01

[정답] 10개

[풀이]

△ 한 칸의 모양 : 8개

△ 네 칸의 모양 : 2개

02

[정답] 12개

[풀이]

 모양 : 10개 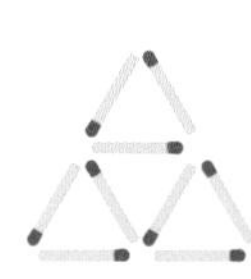 모양 : 2개 (1개는 위로 뒤집어진 모양)

78쪽

01

[정답] 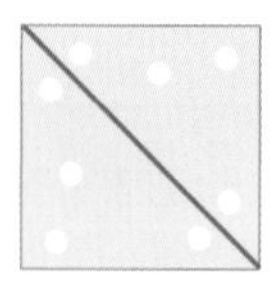

[풀이]

선을 기준으로 양쪽의 점이 같은 거리에 있도록 접는 선을 그립니다.

02

[정답] 조각의 개수 - 6 개

[풀이]  모양 안에서 두 선이 만나도록 잘라야 합니다. 여러 가지 방법이 있습니다.

79쪽

03

[정답] 6개

[풀이]

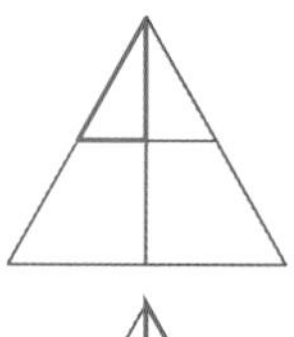 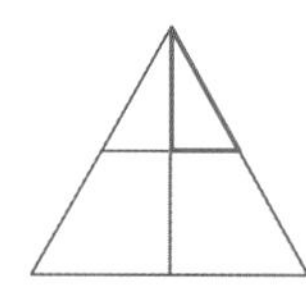 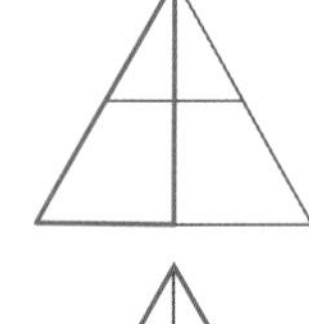

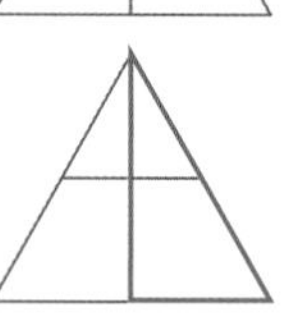 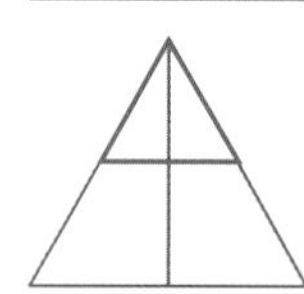 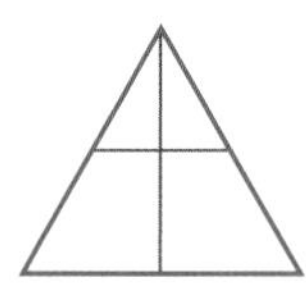

04

[정답] 12개

[풀이]

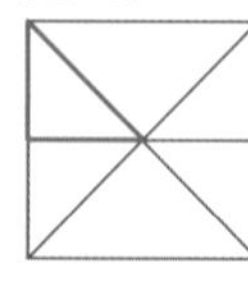 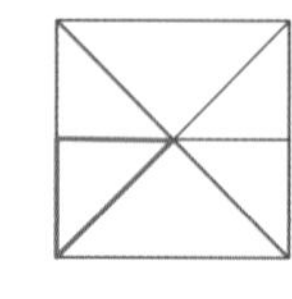 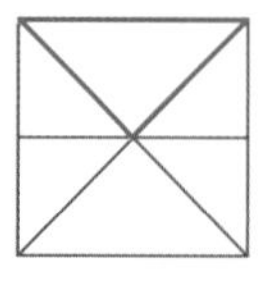 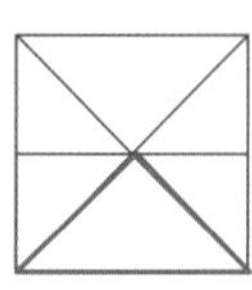

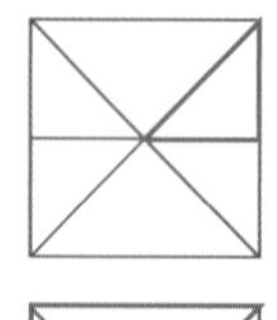 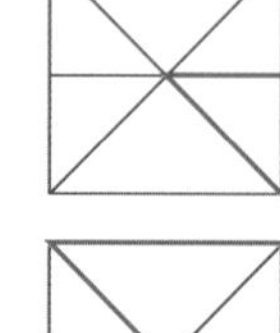 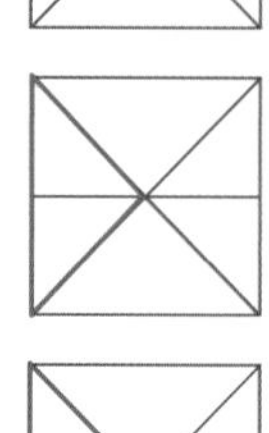 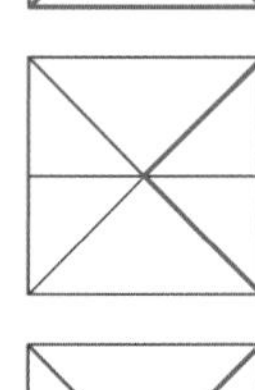

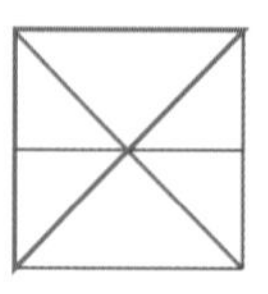 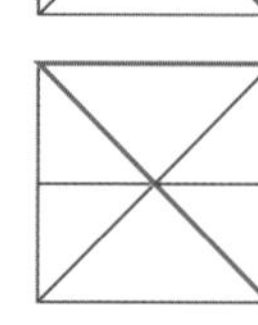 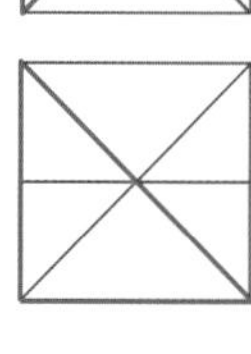 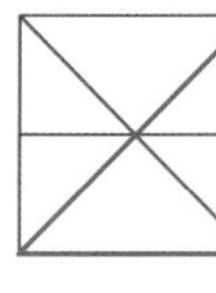

TOP 사고력 쑥쑥

81쪽

1. 수의 크기

01

[정답] 96

02

[정답] 40

82쪽

03

[정답] 10, 14, 18, 40, 48, 80, 84

04

[정답] 84

[풀이]

두 자리 수가 15일 때 : 15-8=7

두 자리 수가 18일 때 : 18-5=13

두 자리 수가 51일 때 : 51-8=43

두 자리 수가 58일 때 : 58-1=57

두 자리 수가 81일 때 : 81-5=76

두 자리 수가 85일 때 : 85-1=84

[다른 풀이]

두 자리 수는 크게, 한 자리 수는 작게 만듭니다.

83쪽

05

[정답] 14

[풀이]

사용한 숫자 카드는 8, 4, 1입니다.

06

[정답] 67

[풀이]

가장 큰 두 자리 수부터 크기 순서대로 나열해 보면 76, 74, 72, 67, 64, 62··· 입니다.

84쪽

07

[정답] 60

[풀이]

가장 작은 두 자리 수부터 크기 순서대로 나열해 보면 10 16, 18, 60, 61, 68···.. 입니다.

08

[정답] 80

[풀이]

가장 작은 두 자리 짝수는 30이고 두 번째로 작은 짝수는 38입니다. 세 번째로 작은 짝수의 십의 자리는 8이 되야 하므로 세 번째로 작은 짝수는 80입니다.

85쪽

09

[정답] 27

[풀이]

세 번째로 큰 수가 72이므로 가장 큰 숫자는 7, 가장 작은 숫자는 2입니다. 따라서 세 번째로 작은 수는 27입니다.

10

[정답] 0

[풀이]

두 번째로 큰 수가 96이므로 빈 카드의 숫자는 가장 작은 숫자입니다. 또한 두 번째로 작은 수가 68이므로 빈 카드의 숫자는 0입니다.

86쪽

11

[정답] 1, 2

[풀이]

34 < 33이 성립하지 않으므로 □ 안의 수는 3보다 작은 1, 2가 들어갈 수 있습니다.

12

[정답] 0 1 2 3 4 ⑤ ⑥ ⑦ ⑧ 9

[풀이]

□ 안에 4를 넣으면 45 > 46이 성립하지 않으므로 □ 안의 수는 4보다 큰 수이고 □ 안에 8을 넣어 보면 87 > 85가 성립하므로 □ 안에는 5, 6, 7, 8이 들어갈 수 있습니다.

87쪽

13

[정답] 5, 6

[풀이]

왼쪽에서 □9 < 78에서 79 < 78이 성립하지 않으므로 □ 안의 수는 7보다 작은 수입니다. 오른쪽에서 34 < 34가 성립하지 않으므로 □ 안의 수는 4보다 큰 수입니다. 따라서 □ 안에는 5, 6이 들어갈 수 있습니다.

14

[정답] 4

[풀이]

36 < □5에서 □ 안의 수는 3보다 큰 수이고 □5 < 5□에서 □ 안의 수는 5보다 작은 수입니다. 따라서 □는 4가 되어야 합니다.

88쪽

15

[정답] 31 > [2]4 > [1]5

[풀이]

31 > □4에서 가운데 □ 안의 수는 3보다 작은 1과 2가 들어갈 수 있는데 31 > 14 > □5에서는 만족하는 □의 값이 없습니다. 따라서 31 > 24 > 15가 되어야 하므로 □에는 각각 2와 1이 들어갑니다.

16

[정답] 6

[풀이]

왼쪽 식의 □ 안에는 6, 5, 4, 3이 들어갈 수 있고, 오른쪽 식의 □ 안에는 5, 6, 7 ,8이 들어갈 수 있으므로 똑같이 들어갈 수 있는 숫자는 5, 6이고 6이 가장 큰 숫자입니다.

89쪽

2. 조건에 맞는 수

01

[정답] 14개

[풀이]
십의 자리 숫자가 4일 때 : 45, 46, 47, 48, 49
십의 자리 숫자가 5일 때 : 56, 57, 58, 59
십의 자리 숫자가 6일 때 : 67, 68, 69
십의 자리 숫자가 7일 때 : 78, 79

02

[정답] 5개

[풀이]
차가 7인 두 숫자를 먼저 찾으면 0과 7, 1과 8, 2와 9가 있습니다. 두 숫자로 만들 수 있는 두 자리 수는 70, 18, 81, 29, 92의 5개가 있습니다.

90쪽

03

[정답] 4개

[풀이]
두 숫자의 합이 4가 되는 두 수를 먼저 찾으면 0과 4, 1과 3, 2와 2가 있습니다. 두 수로 만들 수 있는 두 자리 수는 40, 13, 31, 22의 4개가 있습니다.

04

[정답] 6개

[풀이]
십의 자리 숫자를 정해 놓고 생각합니다.
십의 자리 숫자가 3일 때 : 30
십의 자리 숫자가 6일 때 : 60, 63
십의 자리 숫자가 9일 때 : 90, 93, 96

91쪽

05

[정답] 4개

[풀이]
1에서 6까지 중에서 두 숫자의 합이 9가 되는 두 숫자는 3과 6, 4와 5가 있습니다. 두 숫자로 만들 수 있는 두 자리 수는 36, 63, 45, 54의 4개를 만들 수 있습니다.

06

[정답] 55, 66, 77

92쪽

07

[정답] 6개

[풀이]
십의 자리 숫자가 3보다 작아야 하므로 1과 2가 될 수 있고 일의 자리 숫자가 6보다 크므로 7, 8, 9가 될 수 있습니다. 만족하는 두 자리 수는 17, 18, 19, 27, 28, 29의 6개입니다.

08

[정답] 39

[풀이]
20보다 크고 40보다 작은 수 중에서 일의 자리 숫자가 십의 자리 숫자보다 6 큰 수는 28, 39의 두 개입니다. 이 중 홀수는 39입니다.

93쪽

09

[정답] 5

[풀이]

6보다 작고 4보다 큰 수는 5입니다.

10

[정답] 3개

[풀이]

사탕은 4개보다 적고 2개보다 많아야 합니다.

94쪽

11

[정답]

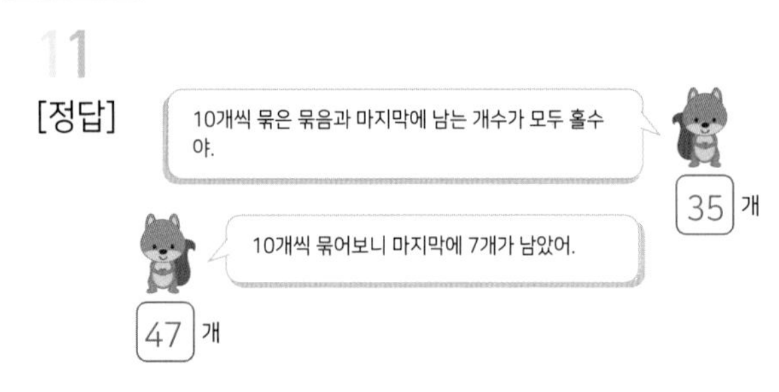

12

[정답] 34 (42) 57 △62 65

[풀이]

깜이가 찾는 수는 42와 62인데 냥이가 찾는 수가 62이므로 깜이가 찾는 수는 42입니다.

95쪽

13

[정답]

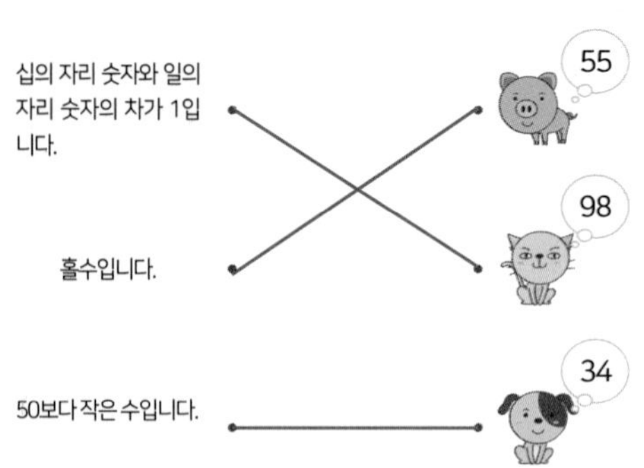

[풀이]

십의 자리 숫자와 일의 자리 숫자의 차가 1인 수는 98과 34인데 34는 50보다 작은 수이므로 십의 자리 숫자와 일의 자리 숫자의 차가 1인 수는 98로 연결해야 합니다.

14

[정답] 1

[풀이]

초록색 상자에 모두 있는 수는 1, 4, 6, 8인데 4, 6, 8은 파란색 상자에 있으므로 공에 쓰여진 수는 1입니다.

96쪽

15

[정답] 9

[풀이]

깜이가 두 번 다 있다고 한 수는 3, 7, 9인데 3과 7은 없는 수이므로 깜이가 생각한 수는 9입니다.

16

[정답] 8

[풀이]

있다고 한 2, 3, 5, 8 중에서 없다고 한 숫자를 제외하면 8만 남습니다.

97쪽

3. 모양 겹치기

01

[정답] 6칸

[풀이]
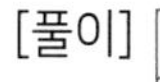
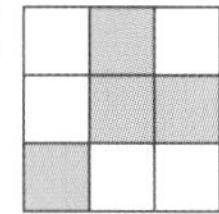
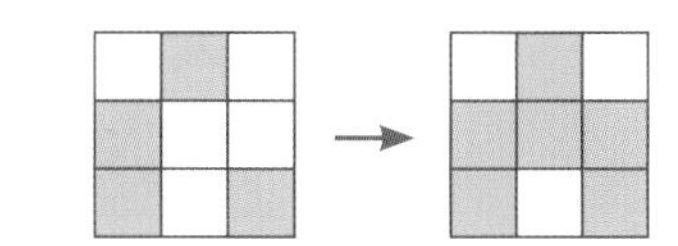

02

[정답] 6칸

[풀이]
오른쪽 모양을 돌려서 겹치면 가장 적은 6칸이 색칠됩니다.

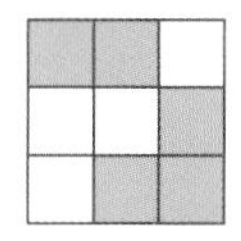
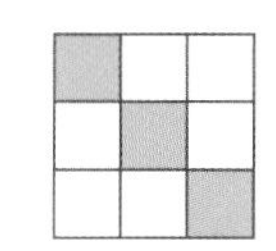
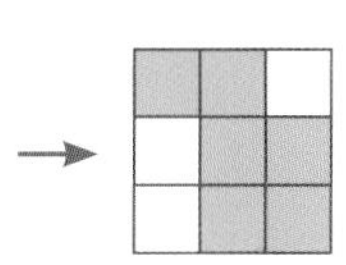

98쪽

03

[정답] 2칸

[풀이]
세 투명 종이 모두 같은 모양으로 돌려 놓고 겹치면 2칸만 겹쳐지게 됩니다.

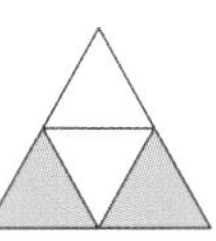

04

[정답] 9칸

[풀이]
다음과 같이 3번째 모양만 돌려서 겹칩니다.

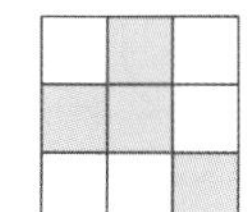
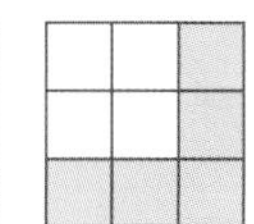
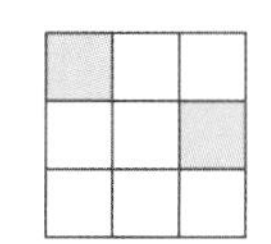
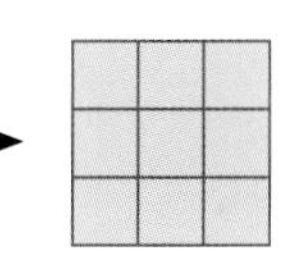

99쪽

05

[정답]

[풀이]
오른쪽 투명 종이는 왼쪽이나 오른쪽으로 뒤집어서 겹쳐야 하는데 뒤집은 모양이 변하지 않습니다.

06

[정답]
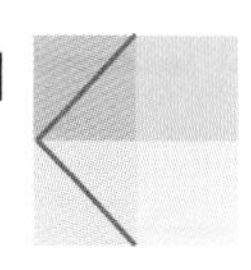

[풀이]
두 투명 종이를 겹친 모양에서 오른쪽 모양을 빼면 모양이 남는데 왼쪽이나 오른쪽으로 뒤집어서 그린 모양이므로 뒤집기 전 모양을 그립니다.

100쪽

07

[정답]
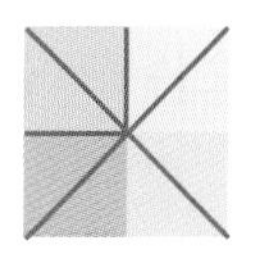

[풀이]
가장 왼쪽 투명 종이는 왼쪽이나 오른쪽으로, 가운데 투명 종이는 위나 아래쪽으로 뒤집은 다음 겹칩니다.

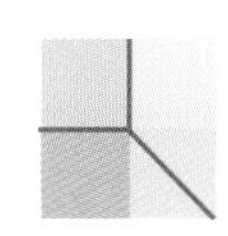

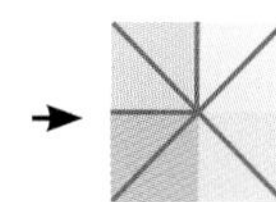

08

[정답]
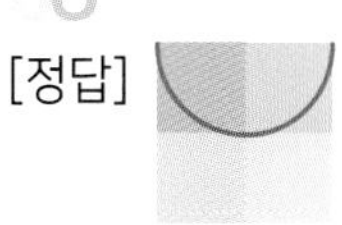

[풀이]
겹친 투명 종이에서 두 투명 종이의 모양을 빼면 다음과 같은 모양입니다. 이때, 가운데 투명 종이는 위나 아래로 뒤집은 모양이므로 뒤집기 전 모양을 그립니다.

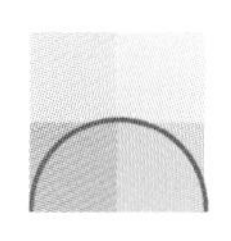

101쪽

09
[정답]

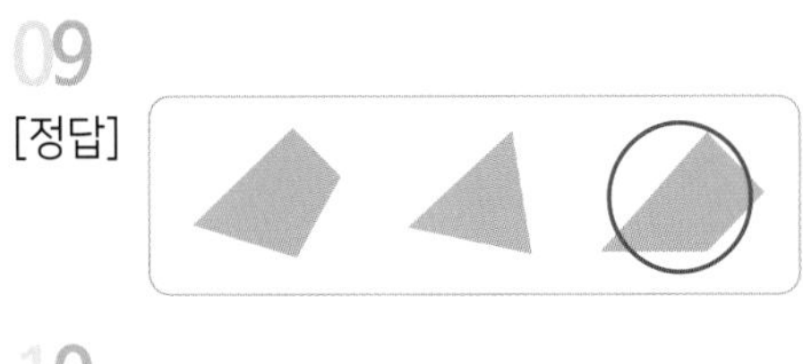

10
[정답]

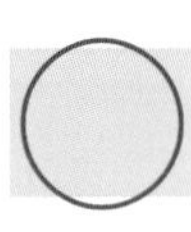

[풀이]

자르는 선과 접는 방향은 다음과 같습니다.

102쪽

11
[정답]

12
[정답]

[풀이]

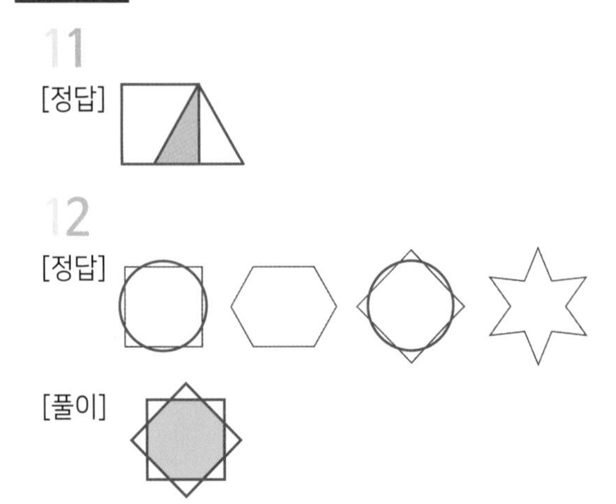

103쪽

13
[정답] (1)

(2)

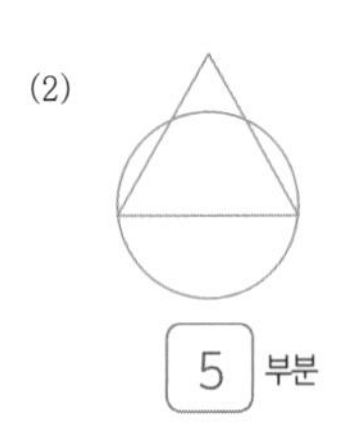

14
[정답]

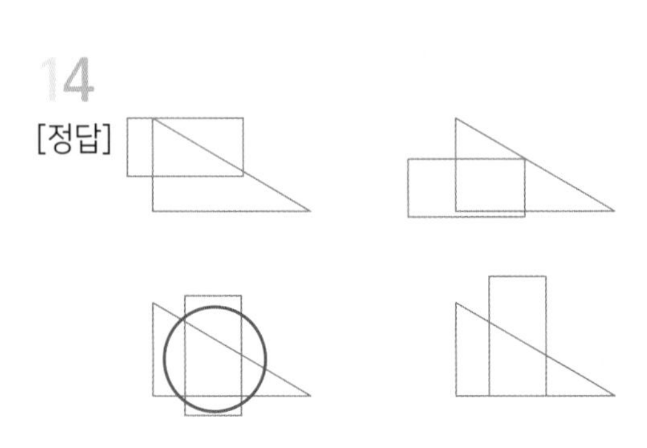

[풀이]

나머지는 모두 4부분인데 하나만 5부분으로 나누어집니다.

104쪽

15
[정답]

여러 가지 방법이 있습니다.

16
[정답]

[풀이]

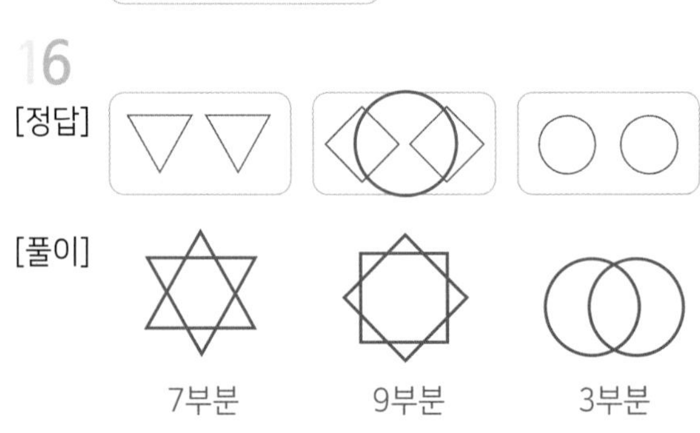

105쪽

4. 모양의 개수

01

[정답] 10개

[풀이]
펼쳤을 때의 모양을 점으로 그려 보면 모두 10개의 점이 생깁니다.

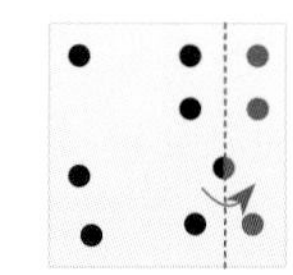

02

[정답] 11조각

[풀이]
펼쳤을 때의 잘라지는 선을 그린 다음 나누어지는 조각의 개수를 구합니다.

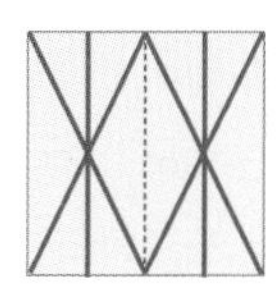

106쪽

03

[정답] 세모 모양- 3 개

네모 모양- 1 개

[풀이]
펼쳤을 때의 잘라지는 선을 그리면 세모 모양은 3개, 네모 모양은 1개입니다.

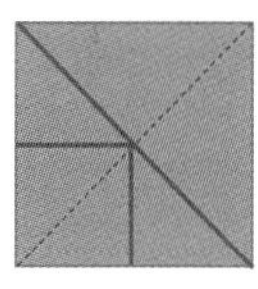

04

[정답]

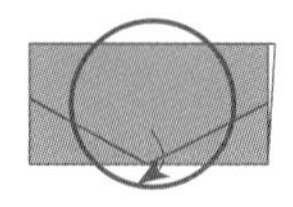

[풀이]
왼쪽 모양은 5조각, 오른쪽 모양은 4조각으로 나누어집니다.

107쪽

05

[정답] 3개

[풀이]
종이를 펼쳤을 때, 잘라지는 선을 그립니다.

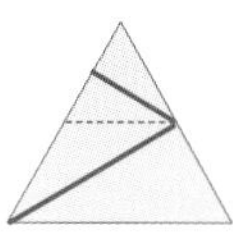

06

[정답] 6개

[풀이]
종이를 펼쳤을 때, 잘라지는 선을 그립니다.

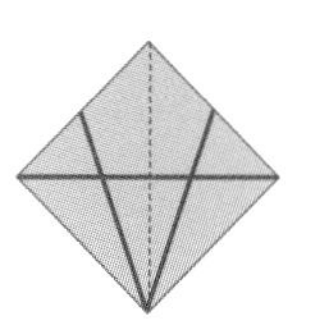

108쪽

07

[정답]

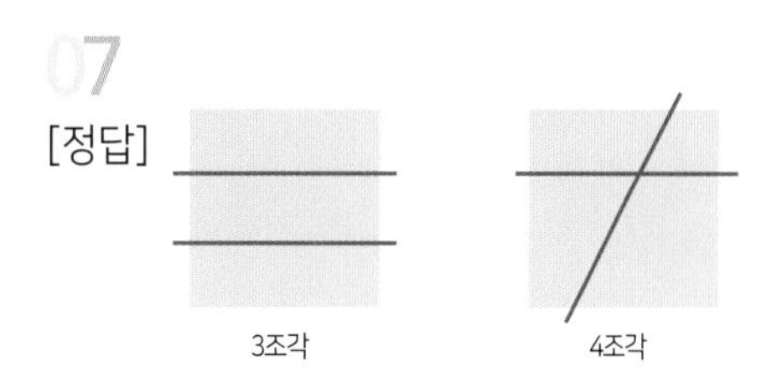

여러 가지 방법이 있습니다.

08

[정답]

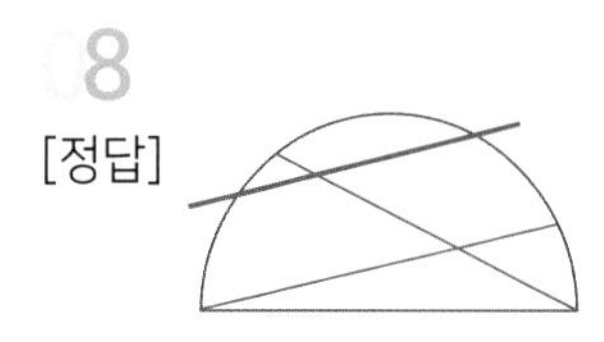

여러 가지 방법이 있습니다.

[풀이]
선 하나를 더 그을 때, 두 선과 모두 만나지 않도록 그을 때는 5조각, 한 선과 만나도록 그을 때는 6조각, 두 선과 모두 만나도록 그을 때는 7조각으로 나누어집니다.

109쪽

09

[정답]

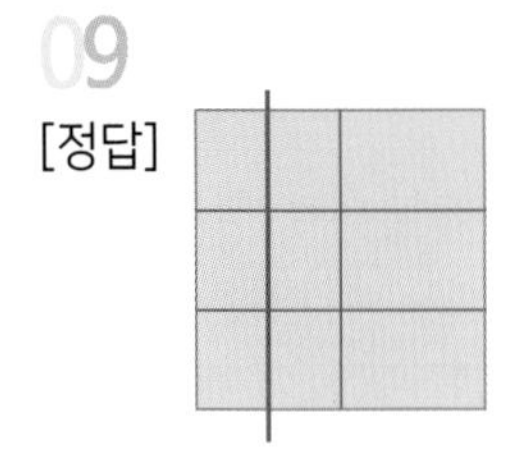

여러 가지 방법이 있습니다.

[풀이]

선 하나를 더 그을 때, 세 선과 모두 만나지 않도록 그을 때는 7조각, 한 선과 만나도록 그을 때는 8조각, 두 선과 만나도록 그을 때는 9조각, 모든 선과 만나도록 그을 때는 10조각으로 나누어집니다.

10

[정답] 6개

[풀이]

한 칸으로 된 네모 모양 : 3개
두 칸으로 된 네모 모양 : 2개
세 칸으로 된 네모 모양 : 1개

110쪽

11

[정답]

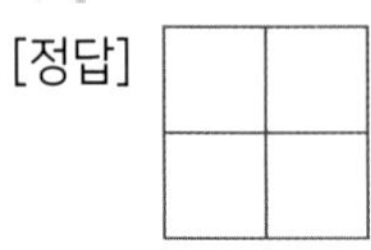

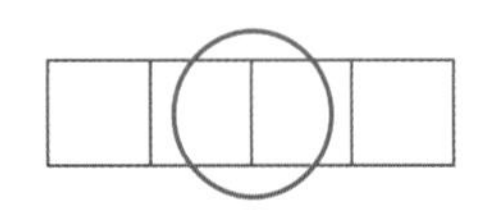

[풀이]

왼쪽 모양은 크고 작은 네모 모양을 9개 그릴 수 있고 오른쪽 모양은 크고 작은 네모 모양을 10개 그릴 수 있습니다.

12

[정답] 12개

[풀이]

한 칸으로 된 네모 모양 : 5개
두 칸으로 된 네모 모양 : 5개
세 칸으로 된 네모 모양 : 1개
네 칸으로 된 네모 모양 : 1개

111쪽

13

[정답] 4개

[풀이]

색칠된 칸이 포함되는 칸의 개수만 셉니다.
한 칸으로 된 네모 모양 : 1개
두 칸으로 된 네모 모양 : 2개
네 칸으로 된 네모 모양 : 1개

14

[정답] 10개

[풀이]

작은 세모 모양 : 4개
작은 세모가 두 개 붙은 모양 : 3개
작은 세모가 세 개 붙은 모양 : 2개
작은 세모가 네 개 붙은 전체 모양 : 1개

112쪽

15

[정답] 4개

[풀이]

점 3개를 이어 그릴 수 있는 방법은 4가지 입니다.

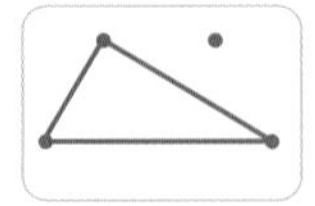
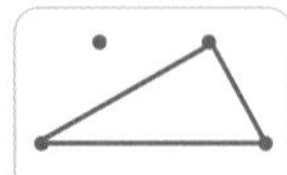
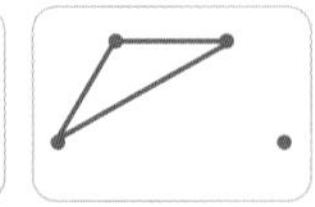
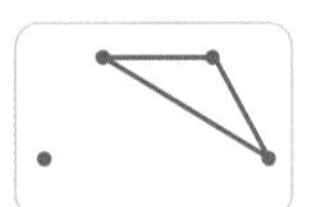

16

[정답] 17개

[풀이]

세모 한 칸으로 된 모양 : 13개
세모 네 칸으로 된 모양 : 4개
여기서 세모 네 칸으로 된 모양은 △ 모양으로 3개, ▽ 모양으로 1개를 그릴 수 있습니다.

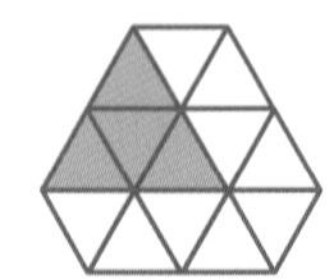

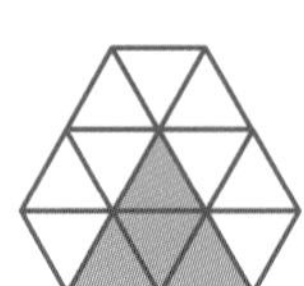
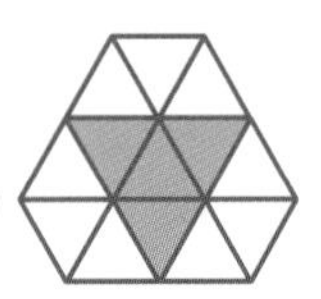

겹쳐서 생기는 모양

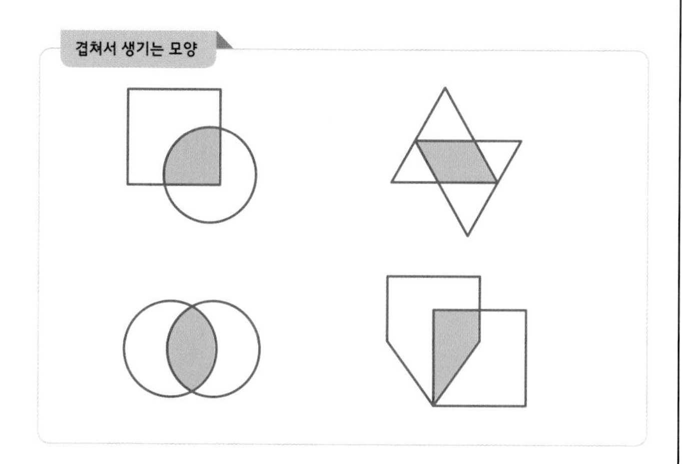

겹쳐서 나누기

여러 가지 방법이 있습니다.

색종이를 접은 모양

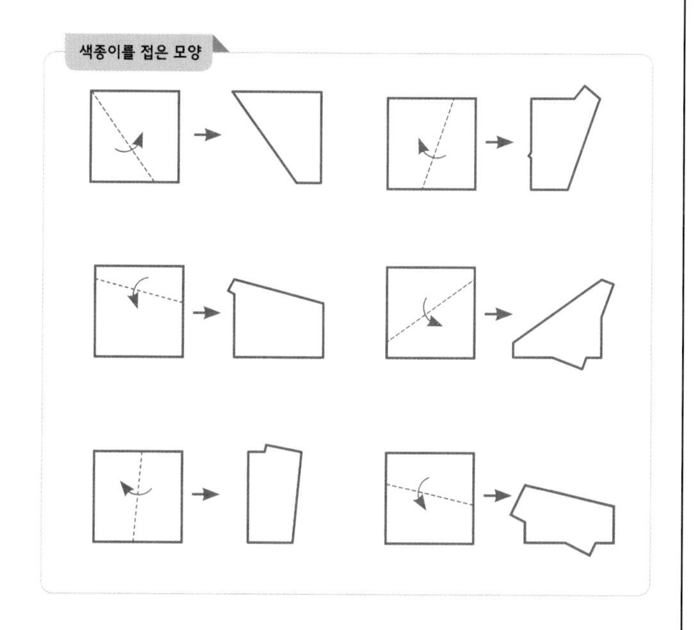

천종현수학연구소는

천종현 연구소장 아래 사고력 수학 교재를 써온 집필진으로 이루어져 있습니다. 사고력 수학을 가르치는 것으로부터 시작하여 사고력, 창의력 교재를 개발하면서 원리로부터 시작하는 단계적 학습을 중요하게 생각하는 실전에 강한 사고력 전문가 집단입니다. 원리를 이해하는 공부가 아니라 방법을 암기하는 수학 공부법에 대한 문제 인식을 가지고 아이들이 쉽고 재미있게 공부하면서도 생각하는 힘이 자라는 수학 컨텐츠를 연구하고 있습니다.

천종현수학연구소

실력을 쌓는 수학 공부는 연산도 연습과 함께 원리가 중요합니다.
원리셈은 생활 속 소재와 교구 그림을 통해 쉽게 원리를 익히고, 다양한 문제로 재미있게 반복 연습할 수 있는 연산 교재입니다.

5·6세 단계

수와 수학을 처음 배우는 단계
수 읽기, 세기, 쓰기를 붙임 딱지를 활용하여 재미있게 공부하도록 구성
매 단원의 마지막은 쉽고 재미있는 내용의 사고력 수학

6·7세 단계

수를 세어 덧셈, 뺄셈의 개념을 아는 단계
20까지의 수를 차례로 세어 덧셈, 뺄셈을 이해하고 생활 속 소재와 흥미 있는 연산 퍼즐을 통해 재미있게 공부

7·8세 단계

한 자리 덧셈, 뺄셈을 확실히 잡아가는 단계
받아올림, 받아내림 없는 덧셈, 뺄셈 다지기와 10의 보수 학습을 통한 받아올림, 받아내림의 개념 잡기

초등1 단계

초등 1학년 단계
받아올림, 받아내림 없는 두 자리 덧셈, 뺄셈과 받아올림, 받아내림이 있는 한 자리 덧셈, 뺄셈의 집중 연습
마지막 단원은 앱을 이용하여 시간을 재고 다른 친구들의 기록과 비교하는 집중 연산

초등2 단계

초등 2학년 단계
두 자리 덧셈, 뺄셈과 곱셈구구 그리고, 나눗셈의 개념 알기
마지막 단원은 앱을 이용하여 시간을 재고 다른 친구들의 기록과 비교하는 집중 연산

초등3 단계

초등 3학년 단계
세 자리 덧셈과 뺄셈과 두/세 자리 곱셈, 나눗셈
총 6개 단원으로 그 중 2개 단원은 앱을 이용하여 시간을 재고 다른 친구들의 기록과 비교하는 집중 연산

초등4 단계

초등 4학년 단계
큰 수의 곱셈과 나눗셈, 분수와 소수의 덧셈과 뺄셈, 자연수 혼합 계산
총 6개 단원으로 그 중 2개 단원은 앱을 이용하여 시간을 재고 다른 친구들의 기록과 비교하는 집중 연산

초등5·6 단계

초등 5, 6학년 단계
분모가 다른 분수의 덧셈, 뺄셈, 분수와 소수의 곱셈과 나눗셈
6학년 연산 비중이 낮은 것을 고려한 통합 연산 단계
총 6개 단원으로 그 중 2개 단원은 앱을 이용하여 시간을 재고 다른 친구들의 기록과 비교하는 집중 연산

예비 중등 단계

초등 6학년, 중등 1학년 단계
유리수의 혼합 계산과 방정식의 계산 2권으로 중등 수학을 처음 접하는 학생들 위한 원리 중심의 연산 교재
총 6개 단원으로 그 중 2개 단원은 앱을 이용하여 시간을 재고 다른 친구들의 기록과 비교하는 집중 연산